Editora Charme

ABBI GLINES

AUTORA BESTSELLER DO NEW YORK TIMES

INCESSANTE

EXISTENCE #3

1ª Impressão 2022

Produção Editorial - Editora Charme
Foto - AdobeStock
Capa e Produção Gráfica - Verônica Góes
Tradução - Monique D'Orazio
Revisão - Equipe Charme

Esta obra foi negociada por Agência Literária Riff Ltda em nome de Dystel, Goderich & Bourret LLC.

FICHA CATALOGRÁFICA ELABORADA POR
Bibliotecária: Priscila Gomes Cruz CRB-8/8207

G561i Glines, Abbi

Incessante / Abbi Glines;
Tradução: Monique D'Orazio;
Capa e produção gráfica: Verônica Góes; Revisão: Equipe Charme
– Campinas, SP:
Editora Charme, 2022. (Série: Existence; 3).
200 p. il.

ISBN: 978-65-5933-058-4
Título original: Ceaseless.

1. Ficção norte-americana. 2. Romance Estrangeiro.
I. Glines, Abbi. II. D'Orazio, Monique. III. Góes, Veronica.
IV. Editora Charme. V. Título.

CDD - 813

Editora Charme
www.editoracharme.com.br

Editora Charme

ABBI GLINES

AUTORA BESTSELLER DO NEW YORK TIMES

TRADUÇÃO MONIQUE D'ORAZIO

INCESSANTE

EXISTENCE #3

Dedicatória

Para cada fã de Dank Walker por aí, este é para vocês.

PRÓLOGO

"A alma está marcada desde o nascimento. Não era para viver além desta vida."
— A Divindade

"Voe pra fora daqui, por favor. Fique fora do meu quarto. Eu poderia estar nua!"
(Pagan, *Existência*)

"A alma foi indicada não uma, mas duas vezes agora."
— A Divindade

"Uma alma entrou na minha casa. Ela me tocou e falou comigo. As almas nunca falaram comigo antes de você."
(Pagan, *Existência*)

"Se você está determinado a que esta alma permaneça ao seu lado, então uma escolha deve ser feita."
— A Divindade

"Você não pode me assustar e eu não vou fugir."
(Pagan, *Existência*)

"Você sabe que a alma tem uma companheira. Se a dela deve existir por uma eternidade, então deve escolher você em vez do companheiro criado como a outra metade da alma dela."
— A Divindade

"Esse é o mais precioso perfeito presente que alguém já recebeu. Você me devolveu uma memória que vou guardar para sempre."
(Pagan, *Predestinada*)

"A alma já viu demais. Ela sabe mais do que uma alma deveria saber. Ela não pode manter essas memórias. A escolha será injusta se ela o fizer."
— A Divindade

"Estou guardando para o meu namorado supergato."
(Pagan, *Predestinada*)

"Cada momento que ela passou com você será tirado das memórias dela. Ela não se lembrará de ter conhecido a Morte e de você ter quebrado as regras para salvá-la. Ela não se lembrará de lutar por você. Ela não se lembrará da maldição que sofreu enquanto estava sob o feitiço do espírito vodu. Tudo será lavado até ficar limpo.
Se você a quer, Dankmar, então deverá ganhar o coração dela da alma feita para ser sua companheira. Só então será possível mantê-la por toda a eternidade.
Ela *deve* passar nesse teste."
— A Divindade

"Confie em mim, Dank Walker, só vou ter olhos para você. Ninguém mais vai chegar nem perto."
(Pagan, *Predestinada*)

CAPÍTULO 1

Pagan

Miranda estacionou seu novo Land Rover prata em uma vaga vazia em frente ao Jemison Hall, que seria nossa casa pelos próximos nove meses.

— Você acredita que estamos aqui? — Miranda sussurrou com admiração enquanto olhávamos para o edifício histórico de tijolinhos à nossa frente.

Minha mãe era ex-aluna da Boone University. Boone era uma pequena faculdade particular em Weston, Tennessee. Quando Miranda e eu fomos aceitas lá, achei que era o lugar onde eu deveria estar. Ir para uma universidade estadual maior me apavorava. Eu gostava da sensação menor e mais íntima daquele lugar.

— Ainda estou tentando assimilar que estamos na faculdade — respondi, ao abrir a porta do carro.

— Não é?!

Nós duas saímos do SUV e fomos para o porta-malas, a fim de começar a descarregar nossas caixas. Minha mãe não pôde vir com a gente porque teve de comparecer a uma conferência de escritores em Chicago. Miranda e eu concordamos que deixar seus pais virem com a gente seria uma má ideia. Eles sabiam como nos fazer passar vergonha. Já que estávamos fazendo isso juntas, decidimos ser independentes e não usar a ajuda de ninguém — tínhamos uma à outra.

Agora, olhando para a pilha de caixas e malas amontoadas na parte de trás do Land Rover de Miranda, eu me perguntava se tinha sido tudo um erro. Levaríamos horas para carregar todas essas coisas até o nosso quarto.

— Isso vai levar uma eternidade — Miranda gemeu em frustração.

Comecei a responder quando o som alto e vibrante de alto-falantes muito potentes chamou minha atenção. A fonte da música era um pequeno conversível preto que acabava de estacionar ao nosso lado. A primeira coisa que notei sobre a motorista do carro foi seu cabelo loiro rebelde com pontas rosa-choque.

Ela desligou o motor, o que deixou meus ouvidos instantaneamente gratos. Ela abriu a porta e saiu do carro. Era óbvio por sua maquiagem e vestimenta que ela era emo; usava delineador preto pesado e coturnos pretos. A única coisa que me desconcertou um pouco foi o cabelo. Rosa-choque não era realmente uma coisa emo, era?

A garota colocou uma das mãos na cintura e soprou uma grande bola com o chiclete, olhando descaradamente para nós duas. Ela estourou sua bola com um barulhão e sorriu.

— Essa merda vai ser divertida — disse em um tom irreverente, então se virou e foi em direção ao dormitório.

Uma vez que a garota estava fora do alcance de audição, Miranda agarrou meu braço com firmeza e falou:

— Por favor, Deus, não permita que ela more perto de nós. Ela me assusta.

Não tinha como eu discordar dela. Assentindo, alcancei a caixa mais próxima de mim.

— Duvido que vamos vê-la com muita frequência. O prédio é bem grande. É bem provável que a gente não esteja nem no mesmo andar. Agora, pegue uma caixa e comece a descarregar.

— Espero que você esteja certa. Devo mudar para outra vaga de estacionamento? Sabe, para longe dela? — Miranda perguntou.

— Só pegue uma caixa e pare de se preocupar — eu respondi e me dirigi, resoluta, para o dormitório.

A loira de aparência maluca estava parada no último degrau me observando quando cheguei às portas duplas da entrada. Excelente. Ela não tinha entrado. Desviei meus olhos para longe dela e os fixei no chão para me impedir de tropeçar e cair.

Um estrondo alto fez o solo vibrar. Tropecei e derrubei a caixa de sapatos que estava carregando. Apesar dos meus esforços para segurá-los, os sapatos foram parar na calçada. Eu praticamente rosnei de frustração. Coloquei as mãos nos quadris e me amaldiçoei em silêncio por não ter pedido aos pais de Miranda para vir com a gente. Aquela era apenas minha primeira droga de caixa e eu não conseguia nem colocá-la para dentro com segurança.

O som estrondoso de um motor ficou mais alto e eu virei a cabeça para ver uma motocicleta preta e prateada parar a poucos metros de mim e meu desastre sapatástico. Era culpa dele eu ter deixado cair as drogas das coisas. O que ele estava fazendo andando pelo campus em uma motocicleta barulhenta? Quando ergui o olhar do veículo ofensivo, encontrei um par de olhos azuis brilhantes. Meu arquejo repentino foi alto, e seu olhar viajou por mim lentamente. Ele era tão... tão... incrivelmente perfeito. Cílios grossos escuros delineavam os olhos azuis mais insanos que eu já tinha visto. Cabelos escuros compridos ondulados nas pontas tocavam as golas e estavam presos atrás das orelhas. Uma boca perfeita se abriu em um sorriso malicioso. Espere... um sorriso malicioso. Balancei a cabeça para interromper a avaliação física completa que eu estava fazendo daquele estranho. Consegui transformar minha expressão ligeiramente admirada em uma de aborrecimento.

— Que tal arranjar uma moto mais barulhenta? Porque eu acho que essa não acordou as pessoas na Austrália — reclamei e me abaixei para começar a pegar os sapatos, o que era meio constrangedor.

— A culpa é minha? — ele perguntou com um sotaque sexy hipnótico. Mas é claro que caras com aquela aparência tinham que ter vozes que combinavam.

— Você me assustou, e também acordou bebês adormecidos nos estados vizinhos — respondi, jogando uma das minhas botas de cowboy na caixa.

Do canto do olho, eu o vi se levantar e balançar uma perna vestida com jeans sobre a moto para desmontar. Excelente. Agora ele estava vindo na minha direção. *Exatamente do que eu preciso*. Mantive o foco nos sapatos espalhados por toda parte enquanto ele caminhava na minha direção. Suas botas pretas pararam ao lado da minha pilha de sapatos.

Ele se abaixou e pegou um sapato rosa de salto que eu quase nunca usava. Nem tinha certeza de por que os havia trazido. Eu tinha comprado para alguma coisa, mas não conseguia me lembrar o quê. Ele pegou o outro pé e eu percebi que os segurava quase com reverência nas mãos. Eu estava curiosa e não pude evitar. Virei a cabeça e o olhei. Ele estava olhando para os meus sapatos rosa como se algo neles o deixasse triste. Será que a ex-namorada dele tinha um par assim? Ou ele era apenas um doido de pedra?

— Quer me dar meus sapatos? — questionei, estendendo a mão. Ele ergueu o olhar, e a surpreendente cor azul era ainda mais incrível de perto. Também havia tristeza ali. Eu podia enxergar claramente, e algo em mim doeu. Eu nem conhecia esse cara. Por que eu sentia uma preocupação tão profunda com a tristeza óbvia com a qual ele estava lidando?

— Gostei desses sapatos. Aposto que ficam lindos em você — ele disse enquanto colocava os dois cuidadosamente na caixa.

Eu queria estremecer com o tom sexy da sua voz.

— Obrigada — falei sem jeito. Eu não sabia mais o que dizer.

— Está pronto para zarpar, Dank? — a loira com cabelo com pontas rosa perguntou, passando por cima dos meus sapatos e indo até a moto. Ela estava com ele? Ele estava ali para buscá-la? A garota emo? Sério?

— Não, Gee, eu não estou — ele respondeu.

A atenção dele direcionada a mim era lisonjeira e ao mesmo tempo me dava um pouco nos nervos. Era como se ele estivesse esperando que eu dissesse ou fizesse alguma coisa. Eu não sabia o que ele queria, mas era difícil não querer fazer o que fosse necessário para agradá-lo. Ele pegou outro par de sapatos meus e os colocou na caixa. Então continuou até que cada sapato estivesse de volta na caixa correta. Em seguida, ele se abaixou e pegou a caixa de transporte. A camiseta preta justa que ele estava vestindo fez coisas maravilhosas em seus braços enquanto ele segurava a caixa e esperava por instruções.

— Para onde? — ele indagou.

Eu não tinha certeza se queria a ajuda *dele*, mas definitivamente precisava de ajuda. Miranda agora estava atravessando a rua. Eu soube no minuto em que seus olhos pousaram nele. Sua boca se abriu e ela deixou cair a caixa que carregava. Que diabos? Ele era lindo, mas ela tinha mesmo que derrubar a caixa dela e espalhar seus produtos de cabelo na rua? Que droga. A gente nunca terminaria nossa mudança nesse ritmo.

— OHMEUDEUS! — ela gritou, cobrindo a boca e fazendo uma coisinha saltitante na ponta dos pés. Passou de constrangedor para humilhante. Eu estava até com medo de olhar para o cara. Miranda estava agindo como uma lunática.

— *Miranda* — eu sibilei, tentando fazê-la parar de tietar algum cara desconhecido e aleatório. Ela então levantou o dedo e começou a apontar para ele. Fantástico. Ela havia ficado louca.

— Você sabe quem ele é? — ela me perguntou, e então gritou, ainda encarando o garoto.

Se eu sabia quem ele era? Do que ela estava falando? Eu estava perdendo alguma coisa? Virei e olhei para ele de novo. Ele ainda era absurdamente sexy, mas era apenas um cara qualquer. Seu sorriso divertido me alertou que talvez ele soubesse por que Miranda agia como se tivesse perdido a cabeça.

— Quem é você? — eu indaguei, estudando-o com atenção. O azul em seus olhos começou a... brilhar?

— Dank Walker — ele respondeu, nunca desviando o olhar.

Era difícil desviar os olhos dos seus. Algo neles era magnético. Quase como se meu corpo fosse atraído por ele. Eu não gostei; era uma coisa que me assustava. Estava errado. Não era normal.

— Pagan, você não sabe quem ele é? Ah. Meu. Deus! Você só pode estar brincando comigo. Eu tenho que tirar você mais de casa. Não acredito que é mesmo você aqui. Segurando a caixa da Pagan. Você estuda aqui? Eu não sabia que você fazia faculdade... Sou uma grande fã. *Você fica* é o toque do meu celular. Adoro!

Toque do celular? Espera...

— Você é o vocalista daquela banda... — Fiz uma pausa, porque não conseguia me lembrar do nome deles. Eu sabia que Miranda os amava. Era só que eu me desligava na maioria das vezes que ela começava a falar sem parar sobre alguma coisa.

— Alma Fria, Pagan! Ele é o vocalista da *Alma Fria*. Como você pode não saber disso, Pagan? — Miranda me disse, enquanto passava por cima das escovas e do secador de cabelo para se aproximar de Dank Walker. — Eu sou sua maior fã — ela repetiu, mas eu tinha a sensação de que ele já tinha descoberto isso.

— É um prazer conhecê-la — respondeu ele, educado, mas mal olhou para ela antes de voltar sua atenção para mim. Seu sorriso divertido me fez sentir como se ele soubesse de algo que eu não sabia. Isso me irritou.

— Eu mesma posso levar a caixa. Obrigada por oferecer, mas pode deixar — falei, estendendo a mão para pegar a caixa que ele estava segurando. Ele arqueou uma sobrancelha e tirou a caixa do meu alcance.

— Tenho certeza de que você pode cuidar de tudo sozinha, Pagan, mas quero levá-la para o seu quarto. Por favor.

Eu não poderia ser sem educação. Ele disse "por favor".

— Ela quer carregar sozinha, Dank. Dê a ela a maldita caixa e vamos embora. Temos coisas pra fazer! — gritou a garota emo, que agora estava sentada na moto dele.

Algo que eu tinha certeza que era raiva brilhou nos olhos de Dank. Ele nem mesmo olhou para trás na direção da garota.

— Ignore-a — ele me disse enquanto acenava com a cabeça em direção às portas do dormitório. — Pode ir que eu vou atrás.

Eu não queria que a garota maluca e um pouco assustadora que morava no meu dormitório me odiasse, mas Miranda cutucava meu braço como uma idiota. Ela queria que eu deixasse Dank Walker carregar minha caixa de sapatos, e ele estava obviamente determinado a me ajudar.

— Tudo bem, vou pegar outra caixa. Miranda, mostre a ele onde fica o quarto.

Miranda sorriu para mim e acenou em agradecimento.

O olhar divertido sumiu e Dank Walker parecia irritado. Beleza. De boa. Ele não deveria estar dando em cima de outra garota enquanto tinha uma sentada na garupa da moto. Eu não era idiota. Sabia que caras de bandas de rock pegavam geral. Essa não era minha praia.

Miranda começou a borbulhar com palavras e mais palavras a caminho do quarto, tentando muito prender a atenção de Dank. Ela dava conta dele. Não tive dúvida. Voltando para o Land Rover, tentei bloquear suas vozes e me concentrar nas caixas que precisava descarregar.

CAPÍTULO 2

Dank

Três dias atrás, eu a havia segurado nos meus braços enquanto ela adormecia me contando sobre todas as coisas que havia guardado para trazer. Eu a provoquei sobre levar coisas demais e não caber tudo em seu quarto. Ela me prometeu que usaria aqueles sapatos rosa de salto no nosso primeiro encontro oficial na faculdade. Tudo estava perfeito. Pagan me amava.

Agora, ela nem me conhecia.

— Aqui está — anunciou Miranda enquanto abria o quarto que eu sabia que estava conectado ao de Gee. Tinha me certificado que fosse assim. Sabia que esse quarto era o maior disponível. Queria que Pagan tivesse o melhor e que todas as experiências que ela tivesse fossem perfeitas. Ela já havia passado por muita coisa comigo. Este deveria ser o começo do nosso felizes para sempre. — Caramba. É enorme! Será que está certo? Somos só calouras. — A emoção na voz de Miranda quando ela se virou e olhou ao seu redor me lembrou que Miranda também tinha esquecido tudo. Minha existência no mundo humano durante o ano anterior havia sido alterada. Pagan não se lembraria. Eles tinham tirado isso dela. Cada memória... apagada. — Você pode colocar aquela caixa ali daquele lado. A Pagan vai querer ficar mais longe do banheiro. Eu demoro mais para ficar pronta e ela pode dormir até mais tarde pela manhã. — Miranda estava certa. Pagan não gastava muito tempo se preparando de manhã. Também me lembrou que eu não estaria ali para abraçá-la e beijar sua cara de sono. Coloquei a caixa ao lado do seu armário. A agonia da separação estava acabando comigo. Então havia o medo. E se Pagan não me escolhesse? E se eu nunca mais a abraçasse?

E se ela nunca mais olhasse para mim com amor nos olhos? Eu poderia existir sem isso?

Não. Eu não poderia.

— Vamos nos atrasar — Gee resmungou da porta.

Já passava da hora de sairmos para coletar almas. Era muito difícil deixar Pagan agora que eu a tinha perto de novo. Ser incapaz de tocá-la ou permitir que ela me visse era uma tortura.

— Ah, você tem ensaio? — Miranda perguntou, piscando sedutoramente na minha direção. Eu tinha esquecido que ela era fã da Alma Fria. Já fazia algum tempo que eu era o namorado da Pagan para ela. Eu havia esquecido que ela era uma fã. Isso ia ser irritante.

— Não, ele tem um *show* — Gee explicou cantarolando a última palavra.

— Nossa, onde? Esgotaram os ingressos? Eu adoraria ir. Eu nunca fui a um show de vocês.

Sim, ela tinha ido. Várias vezes, mas isso também fora esquecido. Antes que eu pudesse dar uma resposta adequada, Gee me interrompeu:

— Pagan está lá fora conversando com um garoto. Um que tem um pai de Nova Orleans, se é que você me entende.

Merda.

Passei por Miranda e empurrei Gee para o lado enquanto descia para o estacionamento na velocidade mais próxima à humana que eu podia, mas como eu sabia que Leif estava perto de Pagan e ela não sabia quem ele era ou o que ele tinha feito, eu sentia que justificava eu usar um modo um pouco mais eficiente de me locomover.

Não queria assustar Pagan aparecendo do nada. Então cheguei por trás dela.

Leif sentiu minha presença, porque seu corpo inteiro ficou tenso.

— Posso te ajudar a carregar suas coisas para dentro? — Leif ofereceu a Pagan, olhando por cima do ombro na tentativa de me encontrar.

Comecei a dar um passo à frente quando Gee agarrou meu braço e me puxou para trás com força.

— Pare com isso. Lembre-se: ele não é o tipo dela. Se acalme.

Deixe que ela cuide disso. Você vai estragar tudo se agir como um maluco apaixonado. Este não é o cara por quem ela se apaixonou. Ela se apaixonou pelo misterioso Dank Walker. Ela se apaixonou pela Morte. Seja esse cara. Pare de ser o perseguidor sofrido, patético e obcecado. Isso não a trará de volta. E, pode acreditar, eu também quero a Pagan de volta.

Ela estava certa. Cerrei meus punhos com força e esperei.

— Não, obrigada. Eu cuido disso — Pagan o informou em um tom ligeiramente irritado que aliviou minha ansiedade. — Foi bom te conhecer.

Gee estava certa. Leif não era o tipo de Pagan. Ele nunca tinha sido. Eu sabia que o garoto não era estúpido o suficiente para tentar levá-la novamente. O pai dele não permitiria. Ele estava só testando as águas para ver se ela realmente havia esquecido.

— Viu? Ela se vira. Agora vamos. Você pode começar a agir de forma misteriosa e sexy. Coloque sua bunda naquela moto e vá embora sem dizer uma palavra.

Deixar Pagan foi difícil. Eu não queria que ela tivesse que carregar todas aquelas coisas para dentro. Eu queria fazer isso por ela. Era para eu ajudar. Ela ia me pagar em favores sexuais. Nós havíamos brincado sobre isso por semanas, mas agora... ela estava aqui. Sozinha.

— Você fica aqui. Fique perto dela. Ajude-a a entrar. Mais importante, mantenha o príncipe vodu longe dela. Volto assim que for desumanamente possível.

Para minha surpresa, Gee não discutiu.

Pagan

— Jogada inteligente. Ele parecia um canalha.

A loira de cabelo com pontas cor-de-rosa de repente estava ao meu lado. Eu não a tinha ouvido se aproximar, mas estava ocupada tentando me livrar do cara excessivamente amigável que tinha vindo falar comigo no carro de Miranda e não estava entendendo as indiretas.

— Ele até que foi legal. Eu só não sou louca para contar a qualquer cara no campus onde fica o meu quarto — expliquei. E não queria que eles sentissem que eu devia algo a eles por sua ajuda.

A garota enfiou a mão no carro e puxou minha mala. Eu não tinha certeza do que pensar sobre isso. O rugido do motor da moto me assustou e eu me virei para ver Dank Walker ir embora sem sequer olhar para mim. Não que eu realmente esperasse isso. Quero dizer, ele foi muito legal e parecia um pouco interessado, mas não posso dizer que eu o estava encorajando.

— Você não ia com ele? — perguntei, enquanto a garota andava em volta de mim com uma alça de mala em uma das mãos e uma das minhas caixas enfiada em seu outro braço. Ela realmente ia me ajudar a descarregar? Por quê? Eu não tinha feito nada para ganhar os favores dela. Ela não parecia ser alguém que fazia amigos com facilidade.

— Mudei de ideia. Ele está um pouco abatido hoje — disse ela, sem olhar para mim. Observei enquanto ela ia para a entrada do dormitório, então me virei e peguei uma caixa. Ela não saberia para qual quarto ir e, mesmo se encontrasse o quarto por sua conta, Miranda ficaria apavorada se a garota emo entrasse lá quando ela estivesse sozinha.

Cinco horas depois, tínhamos desfeito as malas completamente. Mesmo o nosso quarto sendo muito grande, estava pronto. Tínhamos levado as caixas vazias para a lixeira, enchido a geladeira com garrafas de água e eu dei metade do espaço do meu armário para Miranda. Ela trouxe roupas demais para caber no dela. Isso não era nada surpreendente. Achei que seria mais fácil viver com um armário abarrotado do que ouvir Miranda choramingar pelos próximos nove meses porque seu armário não era grande o suficiente. Além disso, com o tamanho daquele quarto, poderíamos facilmente colocar um armário extra no canto.

— Ainda não consigo acreditar que ela está no quarto conectado ao nosso e não precisa dividir com ninguém. O que ela é? A filha de uma estrela do rock? É ISSO! Ela é a filha de um roqueiro famoso. Ela bem que parece. Obviamente, ela trata Dank Walker pelo primeiro nome e tem o dinheiro e o poder para ter seu próprio quarto. E ela tem aquele nome estranho. Quem batiza uma filha de "Gee", sem ser alguma pessoa famosa?

Na maioria das vezes, eu rejeitava as ideias ridículas de Miranda, mas, desta, ela podia estar certa. Ninguém mais no dormitório tinha seu próprio quarto, todas as outras garotas dividiam.

Tudo bem, nosso quarto era enorme. Era ainda maior do que o da Gee, mas estávamos dividindo um mesmo espaço. Eu me joguei no meu edredom de bolinhas pretas que Miranda tinha insistido que eu comprasse. Ela queria que formássemos um par. O dela era preto com bolinhas brancas e o meu era branco com bolinhas pretas. Eu não me importava com a estampa, mas, sinceramente, eu estaria bem com uma colcha trazida de casa. A questão foi que Miranda deu um chilique quando sugeri. Então, seriam bolinhas. Todo o resto era preto e branco também. Preto e branco era sua obsessão atual para esquema de cores na decoração. Ela até nos comprou quadros de recados combinando, com fitas pretas e brancas para pendurar acima das nossas mesas, bem ao lado dos quadros brancos e pretos apagáveis.

— Ficou bom, não ficou? — ela perguntou, presunçosa, sentando-se ao meu lado. Ela estava feliz com a maneira como tudo havia se encaixado. Eu estava feliz por ela ter deixado os pôsteres do One Direction em casa. Eu não gostava de boy bands e com certeza não queria que ficassem coladas nas paredes do meu quarto o ano todo.

— Você fez um bom trabalho — concordei, e ela sorriu para mim.

Não custava muito fazê-la sorrir. Ela havia passado por uma fase difícil por um tempo, depois que seu namorado, Wyatt, falecera. Tínhamos crescido juntos, nós três. Perdê-lo também me entristeceu, mas não tanto quanto a ela. Eles tinham uma conexão que eu não tinha. Fazer compras para nosso quarto a mantivera ocupada durante o mês anterior e ela lentamente começou a se recuperar.

— O que vamos fazer agora? Quer dar uma olhada no campus? Ou procurar alguma coisa para comer? A cantina do campus só abre amanhã. Teremos que sair para conseguir jantar.

Comecei a responder quando Gee entrou no quarto pelo banheiro adjacente ao nosso quarto.

— Eu conheço o lugar perfeito para comer e se divertir um pouco. Vamos lá, vadias.

CAPÍTULO 3

Pagan

Embora fosse um bar com restrição de idade, Gee nos levou para dentro sem problemas. Fiz menção de me recusar a entrar, mas Miranda ficou toda animada quando o segurança acenou para que passássemos. Eu tinha que ir junto para manter Miranda fora de problemas.

— Pare de franzir a testa, Peggy Ann. Não é tão ruim. Relaxa — Gee disse enquanto caminhávamos em direção a uma das mesas vazias.

— Meu nome é Pagan — eu a informei.

— Você costumava ser mais divertida — ela murmurou.

O que diabos ela queria dizer com isso? Nós nos conhecíamos há seis horas, no máximo. Eu estava prestes a perguntar sobre o comentário dela quando um cara entrou na minha frente.

— Ei, linda. Você é nova aqui. Eu me lembraria de olhos como esses se os tivesse visto antes.

Soltei um suspiro cansado e olhei para ele.

— Sério? Isso é o melhor que você consegue? — perguntei, erguendo uma sobrancelha.

Sua carranca confusa me irritou e eu o contornei.

— Difícil! Eu gosto assim.

Gee riu enquanto nos sentávamos no bar.

Miranda agarrou meu braço e me puxou para perto dela.

— Não olhe agora, mas o Jay está aqui — ela sussurrou, animada, no meu ouvido.

Eu sabia que o Jay estudava na Universidade do Tennessee, que ficava na cidade ao lado, mas não esperava encontrar com ele tão cedo, ainda mais na minha primeira noite na faculdade. Comecei a olhar para trás, mas Miranda apertou meus braços com força.

— Eu disse para não olhar. Ele está com uma garota. Eles estão dançando muito perto e, acho que ela pode estar montada na coxa dele.

— O que você quer beber, Pei-gan? — Gee perguntou com uma voz zombeteira, pronunciando meu nome pausadamente depois de eu tê-la corrigido.

— Uma Coca vai bem — comentei e desviei a atenção do aperto mortal de Miranda no meu braço para Gee, que estava empoleirada em uma banqueta como se tivesse idade suficiente para pedir algo mais do que um refrigerante.

— Você quer Coca? Por que não estou surpresa? — ela respondeu, revirando os olhos.

Seu olhar mudou de mim para algo por cima do meu ombro.

— Ai, merda — ela murmurou.

Curiosa, me virei, e meus olhos encontraram os de Jay. Ele estava, de fato, dançando encoxado com uma garota. Jay estava com as mãos na bunda dela e sussurrava algo em seu ouvido — ou pelo menos estava assim até me ver. Sua expressão de surpresa me fez sorrir. Tenho certeza de que ele não tinha ideia de que eu estava em Boone. Eu não falava com ele desde o funeral de Wyatt. Sorri, fiz um pequeno aceno e me virei para Gee. Ela estava me analisando, como se precisasse me derrubar no chão a qualquer momento. Qual era o problema dela? Ela era estranha o suficiente para me deixar nervosa.

— Você o conhece? — ela indagou, mudando o olhar de mim para a direção de Jay.

Dando de ombros, peguei a Coca que o barman tinha colocado na minha frente.

— Conheço. Ele estudava na minha escola — contei. Não queria explicar a ela que ele também tinha sido meu namorado por três anos. Ela provavelmente me faria passar vergonha de alguma forma com essa informação.

— Ele foi namorado dela por três anos. Eles eram inseparáveis — Miranda entrou na conversa com sua fofoca quentinha. Eu teria que agradecê-la mais tarde por isso.

— Hummm... bem, Pei-gan, você precisa decidir o que quer fazer, porque lá vem ele — respondeu Gee. Ela parecia irritada.

Excelente.

— Pagan? — O tom surpreso de Jay me fez desejar ter ficado no meu quarto. Eu ainda não estava pronta para isso. Especialmente com Gee observando cada movimento meu.

Respirei fundo, forcei um sorriso e me virei para encarar Jay.

— Oi, Jay.

— Olá, Jay. Que bom te encontrar — Miranda disse com uma risadinha.

— Não acredito que vocês estejam aqui — reagiu ele, com um grande sorriso. — O que estão fazendo aqui?

— Nós duas entramos na Boone — expliquei.

— Boone? Sério? Você está morando a apenas trinta minutos de mim? — A emoção na sua voz me surpreendeu. Tínhamos terminado há mais de um ano e meio. Não era como se fôssemos velhos amigos se reencontrando depois de muito tempo.

— Sério. A gente se mudou hoje — revelou Miranda, antes de tomar um gole do seu Shirley Temple. Pelo menos eu esperava que fosse um Shirley Temple. Com certeza Gee não tinha pedido alguma coisa com álcool, né?

— Você ia me ligar? Me avisar que você estava morando logo na outra esquina? — O foco de Jay estava em mim, mas eu estava observando a loira que antes estava montada na sua coxa. Pela sua cara, ela não estava muito feliz. Eu a observei se aproximar de nós e envolver o braço de Jay. Desviei meu olhar dos olhos raivosos da garota para os repentinamente tensos do meu ex.

— Então, quem são suas amigas, Jay-Jay? — a garota perguntou, pressionando-se mais contra ele.

Tive que morder o lábio para não rir de "Jay-Jay". Miranda me chutou e eu ouvi sua risada abafada. Ela também estava se divertindo com o apelido.

— Ah, é, hum... — ele gaguejou.

Decidi salvá-lo do seu momento de pânico e sorri para sua nova namorada.

— Olá. Eu sou a Pagan e esta é a Miranda. Fizemos o ensino médio com o Jay. — Eu queria tanto dizer "Jay-Jay" mas me contive porque sabia que, se o fizesse, cairia na gargalhada.

Ela estendeu a mão e passou-a pelo cabelo loiro desgrenhado de Jay, mantendo os olhos fixos em mim. Aparentemente, era de mim que ela menos gostava.

— Ah, é? Ele nunca mencionou nenhuma de vocês.

Isso foi um pouco surpreendente. Desde que havíamos terminado, no verão, ele tinha se mudado para fazer faculdade. Achei que ele teria sentido pelo menos um pouco de falta de mim. Vai ver eu pensei errado. Dei de ombros.

— Vai ver eu não pontuava muito alto no radar de importância dele.

Mudei meus olhos para Jay e sorri. Eu estava farta daquela conversa engraçadinha. Vi a testa franzida dele e decidi fugir enquanto podia. A última coisa que eu queria era que ele ou Miranda desenterrasse nosso passado.

— Foi bom ver você de novo. Talvez a gente volte a se encontrar nos próximos três anos. — Eu me virei no banquinho e deixei meu sorriso falso se dissolver. Agora, era a vez dele de sair andando. Tivemos nosso pequeno momento constrangedor. Era hora de seguir em frente.

— O número do seu celular ainda é o mesmo? — Jay perguntou. Que droga. O garoto não percebia a deixa pra desaparecer? Eu não estava interessada nele. Ele estava em outra. Caramba.

— É. O número dela não mudou — Miranda respondeu quando era óbvio que eu não pretendia.

Dessa vez, eu chutei Miranda.

— Ai! — ela gritou.

— Livre-se deles — sussurrei para Gee, que estava sentada ali surpreendentemente quieta, observando a coisa toda.

Ela piscou para mim e voltou sua atenção para Jay.

— Parece que a Pagan não quer mais bate-papos, Jay-Jay. Então você e sua namorada podem voltar a se encoxar na pista de dança. Estava engraçado de ver antes.

Cobri o rosto com as mãos. Por que eu tinha confiado nela para lidar com isso?

Miranda explodiu em uma crise de risos e girou em seu banquinho, também dando as costas para eles. Mantive os olhos fechados com força, esperando que eles simplesmente fossem embora. Eu não queria que Jay pensasse que eu o estava espiando encoxar a garota.

— Eles se foram. De nada — Gee anunciou e ergueu o copo vazio no ar e sacudiu o gelo. — Ele é meio fofo, mas a mim parece que aquela garota que está pendurada nele tem unhas com pontas de prata, prontas para cortar qualquer um que se aproxime.

— Eu percebi — respondi e bebi o resto do meu refrigerante.

— Ele ainda está a fim de você — Miranda disse, cutucando meu braço. Ela estava cega? Jay tinha dona. Ele sempre tinha sido educado e amigável com todos; claro que ele nos trataria assim também. Nós tínhamos feito tudo juntos, desde o momento em que éramos calouros até o ano em que ele havia se formado antes de nós.

— Não, ele não está. Além disso, eu não estou procurando.

Miranda suspirou e fez uma careta.

— Você nunca está procurando. Você nem estava ciente da gostosura do Dank Walker hoje.

Era aí que ela estava errada. Eu estava muito ciente de como Dank Walker era sexy. A pessoa tinha que ser cega para não perceber esse fato e, mesmo cega, provavelmente seria capaz de perceber. Sua voz era hipnótica, mas ele era o vocalista de uma banda de rock. Não o meu tipo. Sua espécie só queria uma garota por tempo suficiente para deixá-la nua e na cama. Depois disso, ele partia para outra.

— Eu notei. Só não me importei. Não gosto de roqueiros. Isso é coisa sua.

Gee pigarreou e eu voltei minha atenção para ela.

— O que você tem contra os músicos?

— O fato de que eles querem uma garota diferente a cada noite. Sexo, drogas e rock'n roll.

Gee me estudou por um momento, então acenou com a cabeça lentamente como se concordasse.

— Talvez, mas Dank não é um vocalista típico.

— Claro que não — respondi, deixando o sarcasmo escapar no meu tom. — Não estou com vontade de falar sobre isso. Quanto tempo temos que ficar aqui?

— Acabamos de chegar, Pagan. Um cara bonito nem me convidou para dançar ainda — Miranda lamentou, espiando por cima dos ombros para qualquer homem que pudesse estar olhando para ela, pronta para atacar.

— Certo, tudo bem. Vamos esperar até você começar a dançar, então podemos ir?

— Você ficou chata, Peggy Ann — murmurou Gee.

Que história era essa de ela me chamar de Peggy Ann? Ela sabia que meu nome era Pagan. E por que continuava se referindo a mim como se nos conhecêssemos há mais de meio dia? Por acaso ela usava drogas? Ela estava na garupa da motocicleta de Dank Walker naquele dia, mais cedo. Talvez ela fosse uma groupie. As groupies não usavam drogas e dormiam com a banda?

— Oh, garotos! — Miranda gritou baixinho e puxou meu braço. Dois garotos estavam atrás de nós. Um deles parecia familiar; talvez eu o tivesse visto em algum lugar antes. — É um prazer te conhecer, Nathan — disse Miranda em sua voz doce. A que ela achava que era sexy e só usava para conversar com um cara atraente.

O garoto familiar estava muito focado nela. Ele passou a mão pelo cabelo castanho-escuro que curvava nas pontas, dando-lhe uma aparência bagunçada. Eu gostava dele. Não tinha certeza do porquê exatamente, mas aprovei.

— Esta é a minha amiga Pagan — Miranda anunciou. — Pagan, esses são Nathan e Kent. Ambos são alunos da Universidade do Tennessee.

Kent deu um passo na minha direção.

— Se você dançar comigo, acho que sua amiga vai dançar com o Nathan, e se você notou, ele está praticamente babando. Ele não tirou os olhos dela desde que vocês entraram aqui. — Seu sorriso provocador enquanto olhava para Nathan aliviou qualquer preocupação que eu tivesse. Ele não estava dando em cima de mim. Ele estava aqui como coadjuvante de Nathan. Eu me levantei e peguei a mão que Kent me estendeu.

— Eu adoraria dançar — falei, sorrindo para Miranda. — Dá uma colher de chá para o garoto — eu disse a ela, fazendo-a rir quando ela se levantou e colocou a mão na de Nathan. Ele estava olhando para ela como se tivesse acabado de receber uma joia rara. Eu gostei daquilo. Bastante. Até agora, Nathan tinha minha aprovação.

— Imagina, vocês duas podem ir lá dançar. Vou apenas ficar sentada aqui e beber — Gee desdenhou, me lembrando de que ela estava lá. Sentindo-me culpada, olhei-a, mas ela tinha um sorriso divertido no rosto, então eu sabia que ela estava brincando. Além disso, Gee era uma groupie de uma banda de rock. Ela não gostava de garotos de faculdade.

— Estaremos de volta logo, logo — assegurei a ela.

Ela ergueu sua bebida mais recente.

— Estou bem e excelente aqui. Por favor, vão se divertir. Talvez você relaxe um pouco, Peggy Ann.

Revirei os olhos para ela, que continuava usando esse apelido comigo. Percebi que sempre seria Peggy Ann para ela. Ela não ia parar de me chamar desse jeito.

— Vamos dançar — falei, virando-me para Kent.

Ele me levou para a pista de dança lotada. Corpos se moviam por toda parte. A maioria dos casais estava tão intensa quanto Jay e sua namorada. Eu realmente esperava que Kent não tivesse expectativa de que eu me esfregasse nele. Esse não era o tipo de dança que eu estava a fim quando aceitei.

— Eu vi você conversando com o Potts agora há pouco. Você o conhece?

Ele conhecia Jay? A Universidade do Tennessee era um lugar grande. Que estranho.

— Hum... conheço. Jay e eu estudamos juntos.

Kent nos puxou para o meio da ferveção e colocou a mão em volta da minha cintura. Eu não tinha certeza se gostava disso.

— Sério? Que legal. Jay e eu somos irmãos na ATO.

Ah. Um garoto de fraternidade. Excelente.

— Você está na Universidade do Tennessee? — ele perguntou com interesse.

— Não. Estou na Boone.

Kent deslizou a mão pelo meu quadril e me puxou contra ele, à medida que a música foi ficando mais grave e se tornando uma batida sexy. Eu não gostei. Procurei na multidão até encontrar Miranda para ver como ela e Nathan estavam se saindo. Ela estava envolvida nos braços de Nathan e olhando-o como se ele fosse o cara mais bonito que ela já tinha visto. Eu queria que ela tivesse esse momento. Ela precisava se divertir e começar a sair com outros garotos, mas será que eu ia aguentar Kent se esfregando em mim para dar a ela esse tempo?

Só então duas mãos maiores deslizaram em volta da minha cintura e me seguraram com firmeza. Um hálito quente fez cócegas no meu pescoço e, em vez de me assustar, me excitou.

— O tempo acabou — anunciou uma voz melodiosa profunda e sexy atrás de mim. Os olhos de Kent se arregalaram.

— Você é... você é... *puta merda*! Você é Dank Walker. Dank Walker do Alma Fria. — Os braços de Kent imediatamente me soltaram, e ele recuou. Seus olhos estavam focados no cara atrás de mim. Por que Dank Walker estava atrás de mim fazendo alguma grande demonstração de que era meu dono, eu não tinha certeza, mas, no momento, eu estava feliz por Kent não estar mais pressionando a pélvis em mim.

— Sim. Agora vá — respondeu Dank.

Kent acenou com a cabeça e recuou na direção dos corpos em movimento.

Virando-me, eu franzi a testa para ele. A expressão de alívio em seu rosto me surpreendeu.

— O que foi aquilo? — indaguei.

Os olhos de Dank passaram de um redemoinho fervente, enquanto observavam Kent se afastar, para um brilho suave, quando ele olhou para mim.

— Ele estava deixando você desconfortável.

Como ele sabia disso?

— Pode ser, mas por que você se importa?

Dank deixou escapar um suspiro de frustração e balançou a cabeça.

— Não sei, mas eu me importo.

Ok... Isso foi inesperado.

— Dança comigo, Pagan?

Estudei Dank enquanto ele me observava cuidadosamente, esperando minha resposta. Eu não confiava em caras como ele. Nenhuma mulher deveria confiar, mas eu não podia recusar. Passei a mão no seu braço. Suas mãos ainda estavam na minha cintura.

A música diminuiu instantaneamente. A batida sexual mudou para algo tranquilo e suave. Eu relaxei em seus braços e a confiança veio fácil. As mãos de Dank não vagavam. Ele não fazia movimentos vulgares com seu corpo. Em vez disso, ele me segurava perto enquanto nos movíamos com a música.

O cheiro da sua camisa era algo sombrio e exótico. Eu queria enterrar o nariz nele e inspirar. Esse cara sabia ser perigoso. Cada parte dele era irresistível. Virei a cabeça ligeiramente para que eu pudesse sentir seu cheiro melhor, e fiquei surpresa quando um rosnado suave vibrou no seu peito. O que é que tinha sido aquilo?

Olhei para ele e vi que seus olhos estavam agora frios e duros, focados em algo atrás de mim. Espiei por cima do ombro e vi Jay parado ali, as mãos enfiadas nos bolsos e a namorada ausente do seu braço. Ele estava me encarando. Afastei-me dos braços de Dank e encarei Jay. Ele precisava de alguma coisa?

— Ei, Jay — eu disse, tentando aliviar a tensão repentina. Eles se conheciam?

— Pagan. Queria saber se você quer dançar comigo em nome dos velhos tempos. Eu não tinha percebido que você estava, hum, com Dank Walker. Caramba, você subiu na vida.

Eu ri. Esses garotos realmente gostavam da banda de Dank.

— Não estou com Dank. Acabamos de nos conhecer hoje. Eu adoraria dançar com você, desde que sua namorada não se importe. Deixa só eu terminar esta dança primeiro.

Jay desviou seus olhos de mim para Dank e de volta para mim, rapidamente.

— Sim, claro. Vou ficar esperando.

Eu dei a ele um sorriso tranquilizador porque, de repente, ele parecia muito nervoso. Estranho, Jay não era do tipo nervoso. Eu me virei e coloquei as mãos de volta nos braços de Dank. Os músculos flexionaram sob o meu toque e minha imaginação disparou. Ele seria incrível sem camisa. Eu não precisava ver para saber.

— Você o conhece — constatou Dank, em um tom lento e uniforme.

— Conheço. Fizemos o ensino médio juntos — expliquei, deixando de fora propositalmente o detalhe de que ele tinha sido meu único namorado. Dank parecia irritado com Jay. Eu provavelmente estava imaginando, mas protegeria Jay só para garantir. Para um músico, Dank Walker tinha um corpo bem avantajado.

— Você gosta dele? — perguntou Dank.

Bem, isso tinha sido muito direto. Parei de dançar e o encarei.

— Não acho que seja realmente da sua conta. Acabamos de nos conhecer.

Dank mordeu o lábio inferior e, caramba, isso era sexy pra diabo. Eu realmente queria puxar aquele lábio inferior e chupá-lo. Eu estava tão encantada quanto qualquer outra groupie. Tinha acabado de conhecer o cara e já estava pensando coisas pervertidas.

— Ok. Você tem razão. Eu sinto muito — ele respondeu.

Sua expressão triste fez meu coração doer. Reprimi o desejo de estender a mão e tocar seu rosto. Não queria que ele ficasse triste. Eu parecia malvada? Eu não queria.

— Vamos só dançar — eu disse quando a música começou; outra batida sexy.

Dank assentiu, e suas mãos deslizaram ainda mais nos meus quadris ao me puxar para mais perto. A maneira suave e fácil como seu corpo se movia com o meu fez meu coração acelerar de excitação. Suas mãos deixaram minha cintura e circundaram meu pulso. Olhei para ele quando ele pegou minhas mãos e as puxou para envolver seu pescoço, pressionando meu corpo mais perto do seu. O brilho sombrio e sensual nos seus olhos fez minha respiração falhar. Eu não tinha experiência suficiente para jogar no seu mundo, mas não importava quanto ele pudesse ser perigoso para o meu coração, eu não conseguia me libertar do feitiço hipnótico com que ele me aprisionava.

— Tudo bem, garoto apaixonado, por que você não pega leve com a Peggy Ann aqui? Você tem lugares para ir e pessoas para ver. — A voz de Gee me trouxe de volta à realidade. Deixei minhas mãos caírem do seu pescoço e dei um passo para trás.

— Gee. — O alerta no tom dele me fez estremecer.

— Não fique todo irritado. Estou apenas te lembrando dos seus *planos* — respondeu ela, colocando ênfase na última palavra. O que Gee significava exatamente para Dank Walker?

CAPÍTULO 4

Dank

Eu ia estrangular a Gee. Pagan estava gostando de mim. Ela estava nos meus braços e eu tinha encontrado um instante de paz do medo que se apoderara de mim desde o momento em que eu havia descoberto que poderia perdê-la.

— Dank — Gee disse, em tom atrevido. Eu sabia que ela estava certa. Eu ainda não tinha acabado de levar almas naquela noite, mas sabia que Pagan estava aqui. Eu podia sentir suas emoções. Sua alma ainda me chamava, embora não se lembrasse mais de mim.

— Hum, vou deixar vocês dois resolverem isso. Eu prometi a Jay uma dança — Pagan avisou, se afastando.

Não me deixe.

Pagan congelou. Droga. Eu tinha falado com a alma dela. Ela tinha me ouvido. A confusão em seus olhos enquanto me estudava me fez esperar que ela se lembrasse; que seu cérebro humano fosse dominado por sua alma, mas ela balançou a cabeça e continuou se afastando.

— Eu tenho que ir — falou apressadamente. Em seguida, virou-se e correu.

— Bela jogada, seu idiota. Você só deixou a garota apavorada — Gee repreendeu com um suspiro.

— Por que você nos interrompeu? Eu conheço meu dever. Não preciso que você se meta nisso.

Gee ergueu ambas as sobrancelhas loiras com piercing.

— Ah, sério? Bem, se você parasse de cobiçar Pagan por tempo suficiente para se lembrar de que você tem um trabalho a fazer... Você tem que deixá-la fazer suas próprias escolhas. Se deixasse, eu não teria que intervir. Sim, você a tinha embrulhado naquela coisa sexy de feitiço sombrio que você está usando, mas a alma dela está conectada à de Jay. Ela precisa enfrentar isso; ela tem que decidir. Você não pode chegar e interceptá-la toda vez que ela se aproximar dele.

Rosnando, segui em direção à saída. Eu não precisava ouvir nada daquilo. Ela estava certa e eu odiava que ela estivesse certa. Pagan tinha que se aproximar de Jay novamente. Essa era uma competição. Uma que eu poderia muito bem perder. Estremeci quando a dor me perfurou. Perder Pagan não era algo que eu pudesse aceitar.

Olhei para a pista de dança e meus olhos imediatamente encontraram os de Pagan. Ela estava me observando ir embora. Jay não estava junto. Ela estava sozinha, à margem dos corpos em movimento, sua atenção completamente focada em mim. Eu parei e fitei-a. Observei a inclinação da sua cabeça, a suavidade dos seus lábios e o interesse em seus olhos. Eu a intrigara essa noite. Tinha sido uma coisa boa. A Pagan que não via as almas diariamente aceitaria a morte tanto quanto aquela que tinha crescido vendo uma parte desse mundo para a qual os outros eram cegos? Jay veio por trás dela e tocou seu ombro; ela se virou e olhou para ele. Eu não poderia ficar para ver.

Pagan

— Chegou a hora daquela nossa dança? — Jay perguntou em voz alta por causa da música.

Olhei para trás, para ver se Dank ainda estava lá. Ele parecia triste ou solitário. Eu queria falar com ele, mas ele havia sumido. Não era uma boa ideia se interessar por um vocalista. Sim, ele era difícil de ignorar, mas era do meu interesse encontrar uma maneira de superar seu apelo.

— Sim, eu... — Parei no meio da frase. A namorada estava de volta e enfiava as mãos na cintura de Jay. A frustração dele era óbvia no semblante.

— Venha dançar comigo — ela murmurou enquanto deslizava as mãos por baixo da camisa dele. Sim, aquilo era o suficiente para mim.

— Eu preciso ir. Foi bom ver você de novo — falei rapidamente e escapei antes que ele pudesse dizer mais alguma coisa. Examinando o bar, encontrei Gee sentada lá com as pernas cruzadas e um sorriso malicioso. Miranda ainda estava dançando com Nathan. Por mais que eu quisesse ir embora, não queria terminar a noite antes da hora para Miranda. Ela estava obviamente se divertindo. Fui até Gee. Talvez eu pudesse pegar um táxi para casa e deixá-la ali com Miranda.

— O que aconteceu com o garoto número dois da fraternidade? — Gee perguntou enquanto tomava outro gole da sua bebida.

— Estou pronta para ir. Se eu pegar um táxi, você pode ficar de olho na Miranda?

Gee deu de ombros.

— Posso, eu acho. Ainda é muito cedo. Por que você já está indo?

Porque o cara com quem eu queria dançar foi embora.

— Estou cansada. Foi um longo dia.

— Ok. Vejo você mais tarde, então — Gee respondeu e balançou as longas unhas pretas para mim num aceno.

Olhei para trás para verificar Miranda uma última vez. Seu sorriso enquanto falava com o tal Nathan foi a resposta de que eu precisava. Ela estava bem. Bom para ela.

Havia fumaça por toda parte. Eu estava perdida dentro dela. Não podia entrar em pânico. Se eu quisesse sobreviver a isso, não poderia entrar em pânico. Meu peito estava apertado com a falta de oxigênio. Lentamente, atravessei a fumaça, rezando para conseguir sair antes que a escuridão tomasse conta. Uma pequena luz apareceu através da espessa fumaça, e a esperança me empurrou com mais força. Minhas pernas estavam pesadas. Quanto mais perto eu chegava da luz, mais devagar meu corpo se movia. Estava ficando mais difícil colocar minhas pernas uma na frente da outra. Meus joelhos dobraram e eu percebi que não ia conseguir chegar. A luz estava lá. Tão perto, mas eu não ia alcançá-la. A fumaça ia me dominar. Respirei com dificuldade novamente quando meus joelhos bateram no cimento embaixo de mim.

Braços fortes me cercaram e a sufocação foi dissipada. Eu respirei fundo e fácil. Os braços me seguraram perto de um peito firme e quente. Tentei abrir os olhos, mas não consegui.

— Você está bem. Eu estou aqui — a voz profunda me assegurou. Eu conhecia aquela voz. Agarrei a camisa que cobria aquele corpo que me segurava. Eu queria vê-lo. Eu o conhecia.

— Socorro — implorei. Meus olhos não abriam.

— Sempre. Você está bem. Este é apenas um pesadelo. Estou aqui — ele repetiu. Eu acreditei nele. Não conseguia vê-lo, mas meu corpo sabia que estava seguro. Relaxando em seus braços, respirei fundo novamente.

— Eu quero te ver — pedi.

— Eu gostaria que você pudesse. Você vai voltar um dia. — Sua resposta confusa foi a última coisa que ele disse antes de o alarme estridente disparar.

Meus olhos se abriram e eu estava olhando para o teto do meu quarto.

— Desligue isso — Miranda resmungou, jogando um travesseiro no despertador ao lado da minha cama. Tínhamos orientação de calouros em uma hora. Estendi a mão e pressionei "soneca". Pedaços de um sonho passaram pela minha memória. Eu queria me lembrar. Algo sobre aquilo me excitava, mas eu não conseguia recordar o quê. Sentada na beira da cama, pensei muito sobre o momento anterior ao toque do meu despertador. Havia algo que eu queria lembrar, mas não conseguia. Só me vinha um vazio.

Frustrada, afastei as cobertas e me levantei. Miranda se encolheu ainda mais nas dela. Eu não tinha ideia de que horas ela finalmente tinha chegado em casa na noite anterior. Já era dfícil acordá-la depois de dormir o suficiente. Essa manhã ia ser impossível. Decidi que primeiro tomaria um banho e depois tentaria fazê-la acordar. Ir à orientação era obrigatório. Ela teria que se levantar e chegar lá, mesmo que só tivesse tempo de escovar os dentes e vestir roupas amassadas.

Gee estava parada na frente do espelho. Não estava se olhando nele. Estava de costas e apoiada no balcão, com os braços cruzados na frente do corpo como se estivesse esperando por alguém. Seu cabelo já estava penteado – tanto quanto ela o arrumava, e ela estava vestida. Ela saiu mais tarde do que eu. Como parecia tão acordada?

— Dormindo até tarde, Peggy Ann? — ela perguntou sem se mover do seu lugar na frente da pia.

Eu realmente precisava tomar um banho, mas não ia ficar tirando a roupa na frente dos outros.

— Sim, não posso acreditar que você esteja tão acordada, mas já que está acordada e vestida, poderia sair para que eu possa fazer o mesmo?

Gee se afastou da sua posição contra o balcão.

— Tsc, tsc, tsc. Acho que você também não quer ouvir sobre o convite especial que recebeu para assistir ao show do Alma Fria na sexta à noite.

Observei Gee começar a caminhar em direção à porta para me deixar sozinha, como eu havia pedido. Eu não deveria perguntar a ela sobre o show. Eu não namorava músicos. Era uma má ideia.

— Espera. O que você quer dizer? O Dank me convidou? — Eu era fraca. O cara era difícil de resistir.

Gee parou no meio do caminho e sorriu.

— Sim. Convidou. Você ainda pode levar sua amiga se quiser. Credencial para os bastidores e tudo.

Nos bastidores. Isso significava que ele queria me ver. Não significava? Eu não precisava alimentar esses pensamentos, mas ele tornava muito difícil lembrar que era um *bad boy*. Ele não agia como tal. Parecia quase solitário ou perdido. Não era o playboy selvagem que eu tinha decidido que ele era desde o primeiro dia.

— Ok. Eu quero ir. Tenho certeza de que a Miranda também vai querer ir. — Eu queria lhe perguntar por que ele não me ligava ou se eu poderia ter o número dele, mas ele não tinha oferecido e talvez eu não devesse pedir.

— Eu vou falar pra ele. Mas, bom, talvez você o veja primeiro —

Gee respondeu. Em seguida, abriu a porta e fechou atrás dela antes que eu pudesse perguntar o que ela queria dizer.

Dank

Eu estava esperando por Pagan desde que havia deixado seu quarto naquela manhã. A noite anterior tinha sido a primeira vez em que entrei nos sonhos dela. Parecia uma invasão de privacidade que eu nunca tinha tido a intenção de cometer, mas, enquanto eu ficava sentado ali observando-a dormir e certificando-me de que estava segura, ela começou a ter um pesadelo. Levei alguns momentos para decidir se deveria ou não entrar no seu sonho e aliviar seus medos ou abraçá-la fisicamente como costumava fazer quando ela tinha pesadelos antes. Decidi que o caminho mais seguro era em seus sonhos.

No momento em que o alarme dela disparou, eu saí. Ela chegaria a esse prédio em breve. Contornei a árvore na qual estava encostado e me tornei visível. As universitárias gostavam de vocalistas de banda. Eu tinha que me esquivar de mulheres excessivamente atiradas quando estava no campus.

— Dank Walker? Sem chance. Ouvi dizer que você foi visto no campus, mas não acreditei... e aqui está você. — Uma garota já havia me notado. Ela começou a mexer em sua mochila. — Tenho uma caneta marcadora aqui em algum lugar. Você poderia autografar minha bolsa ou minha camisa, oh, melhor ainda... meu sutiã? — ela disse enquanto tirava a caneta da mochila.

A garota começou a levantar a blusa antes de eu perceber que ela estava falando sério sobre o sutiã.

— Não. Eu não assino sutiãs. — Segurei a caneta que ela me entregou e desviei a atenção para os alunos que se aproximavam do prédio. Meus olhos se encontraram com os de Pagan. Merda. Ela viu que a maldita camisa da garota estava levantada. Empurrei a caneta de volta na direção da groupie, sem quebrar o contato visual com Pagan, e a contornei. — Tenho que ir. — Foi a única explicação que dei.

Pagan virou a cabeça, olhou para a frente e se apressou em direção ao edifício. Eu não ia deixá-la entrar sem falar comigo.

Fale comigo, Pagan. Por favor.

Ela parou. Falar em sua cabeça era injusto, mas eu odiava não ser capaz de lhe mostrar quem eu era. Eu queria que ela me visse. Eu queria que ela me amasse de qualquer maneira.

— Bom dia, Pagan — cumprimentei, parando ao lado dela. Ela inclinou a cabeça para o lado e olhou para mim. Sua expressão surpresa e confusa me fez sentir culpado. Eu não deveria ter falado com ela daquele jeito. Ela não estava pronta.

— Dank? — Sua voz tinha uma entonação de pergunta.

Fiz menção de pegar sua mochila e, em seu estado ainda confuso, ela permitiu. Jogando-a por cima do ombro, acenei com a cabeça em direção à entrada do prédio, onde seria a aula de Cálculo de Pagan pelo próximo semestre.

— Melhor se apressar ou você vai se atrasar.

Ela balançou a cabeça. Em seguida, seus olhos se fixaram na mochila, agora no meu ombro. Um pequeno franzido enrugou sua sobrancelha.

— O que você está fazendo?

— Levando seus livros para dentro. Parecia pesado.

Comecei a andar antes que ela pudesse decidir que queria sua mochila de volta. Eu ia carregá-la para dentro. Queria que todos os homens das imediações me vissem carregando sua mochila. Eu já tivera que lidar com a alma gêmea — não queria ser forçado a vê-la com nenhum outro cara. Eu estava deixando claro que ela era minha.

— Ah. Bem, sim. Recebemos muitas informações na orientação de calouros, então precisei ir à livraria e comprar alguns livros que eu não tinha. Esta é minha única aula de hoje. Pelo visto, esse professor é muito certinho e não quer perder um dia de aula sequer.

Eu adorava ouvi-la falar. Quando chegamos à porta, eu a abri e dei um passo para trás para que ela pudesse entrar. Ela olhou em direção à árvore onde eu estava quando ela se aproximou e então de volta para mim.

— Eu vi mesmo você com uma garota e ela estava tirando a roupa pra você? Por acaso ela mudou de ideia e decidiu que tirar a roupa em público era uma má ideia?

A nota de provocação bonitinha em sua voz me fez sorrir.

— Ela queria que eu autografasse o sutiã dela. Eu disse que não autografo sutiãs, então vi você e devolvi a caneta dela para que eu pudesse te alcançar antes que você fugisse.

— Ah — ela respondeu e parou na porta marcada com o número 312. — E por que você não autografa sutiãs?

Pagan estava flertando comigo? Droga, aquele brilho malicioso em seus olhos me deixava um pouco louco. Eliminei a distância entre nós e baixei a cabeça até que minha boca estivesse bem ao lado da sua orelha.

— Só tem um sutiã que eu queria autografar.

A respiração de Pagan engatou na garganta. Sorri para mim mesmo antes de me endireitar. Eu queria prová-la. Fazia muito tempo que eu não sentia o gosto da sua boca... da sua pele.

Entrei na sala de aula desesperado para me controlar. Inalar o cheiro dela fez meus sentidos ficarem em alerta máximo. Pagan entrou enquanto eu segurava a porta para ela. Seus jeans cobriam sua bunda como uma segunda pele. Era impossível não olhar enquanto ela caminhava pela sala. Desviei os olhos e examinei os outros alunos para ver quem mais estava olhando para ela. Eu não queria que ninguém olhasse.

CAPÍTULO 5

Pagan

Ele estava falando na minha cabeça ou eu tinha ficado louca? Não consegui me concentrar em nada que meu professor de Cálculo disse. Felizmente, foi apenas uma breve recepção e uma visão geral do programa. Fomos dispensados depois disso. Eu tinha certeza de que havia perdido algo importante, mas Dank Walker estava ao meu lado. Todos os olhos femininos na sala estavam sobre ele, e meu corpo formigava cada vez que ele roçava seu braço no meu — e parecia que isso acontecia muito. Quase como se ele soubesse o que provocava em mim e se certificasse de fazer apenas o suficiente para me manter com os nervos à flor da pele.

Minha mochila ainda estava pendurada em seu ombro quando saímos, e eu estava sendo forçada a suportar todos os fãs que o paravam para perguntar sobre o show, para dar seus números de celular e prometer de tudo: de garganta profunda a show de strip. Se não fosse pelo fato de que eu realmente queria minha mochila e queria também ver se ele falava mais na minha cabeça agora que eu estava totalmente acordada — para que eu pudesse avaliar se isso era real ou não —, eu teria ido embora e o deixado para seus fãs adoráveis.

— Vem comigo — disse Dank, pegando meu braço e me guiando para longe de uma garota no meio da frase. Eu tive que correr para acompanhá-lo enquanto ele me conduzia em direção a um grande carvalho atrás do prédio. Havia uma mesa de piquenique embaixo dela. Ele estava se escondendo? — Eles não vão me notar aqui — explicou, certificando-se de que a árvore o estava bloqueando da vista de todos os outros antes de se sentar na mesa de piquenique. Algo sobre vê-lo sentado ali parecia familiar. Quase como se eu estivesse experimentando um *déjà vu*. Ele sorriu como se tivesse lido minha mente.

— Estou surpresa que você tenha se afastado e deixado a última garota. Se você a trouxesse aqui, tenho mais do que certeza de que teria feito algo muito indecente. Ela estava se preparando para se oferecer para ter seu primeiro filho.

Dank riu e balançou a cabeça.

— Eu passo. Não é o meu tipo.

Até agora eu não tinha certeza de qual era o tipo dele. Dank não apenas parecia estar me perseguindo, como também eu não o tinha visto com mais ninguém. Era porque eu era um desafio?

— Por que o interesse em mim? Se eu me oferecer para tirar a roupa pra você, isso vai te fazer fugir? Sou um brinquedinho incomum com o qual você nunca brincou? — Fiz questão de sorrir quando perguntei. Eu não queria parecer uma idiota, mas eu realmente queria saber... por que sim. Havia muitas garotas disponíveis que estavam mais do que dispostas a fazer o que ele quisesse, quando ele quisesse.

Dank deixou minha mochila cair nas pranchas de madeira da mesa de piquenique e se levantou lentamente. Seus olhos estavam focados em mim e a intensidade do seu olhar quase me assustou. Às vezes, seus olhos não pareciam reais. Eles pareciam sobrenaturais — lindamente sobrenaturais e assustadores.

— Entenda isso, Pagan Moore — ele começou, com uma voz profunda e sexy —, se você se oferecer para se despir para mim, você vai ter minha atenção total e indivisa.

Caramba.

Engolindo em seco, consegui dar uma aparência de um aceno de cabeça. Dank não recuou, em vez disso, ele se aproximou até que fui pressionada contra a árvore.

— Você não é um brinquedo. Você nunca vai ser um brinquedo para mim — ele disse enquanto traçava minha mandíbula com a ponta do dedo. O desejo em seus olhos era muito forte. Não fazia sentido. Nós tínhamos nos conhecido ontem. Por que ele reagia dessa forma comigo? E por que meu coração ficava louco quando ele chegava perto? — Faz muito tempo. Eu não posso não te beijar — ele sussurrou antes da sua boca cobrir a minha. Suas palavras não faziam nenhum sentido, mas isso desapareceu no fundo da minha mente quando sua língua deslizou na minha boca e o estranho sabor intenso e luxuriante provocou meus sentidos. Minhas mãos voaram até seus ombros e eu segurei como se minha vida dependesse disso. Meus joelhos estavam fracos e eu precisava de apoio, mas, principalmente, eu só queria mantê-lo ali. Bem assim. Inalei o cheiro quente e sombrio que me envolveu enquanto seu corpo se unia ao meu. Seus dentes roçaram meu lábio inferior e eu choraminguei quando seus lábios começaram a beijar o ponto atrás da minha orelha. O calor da sua respiração fez cócegas na minha pele. Agarrando sua camisa com força, pressionei-o mais perto. Um dos seus joelhos deslizou entre as minhas pernas e se acomodou entre elas, fazendo com que faíscas de prazer me percorressem.

— Ah — gritei enquanto ele movia seu joelho mais alto. Meu corpo tremeu em resposta. Dank enterrou a cabeça na curva do meu pescoço. Sua respiração pesada, acompanhada por sua súbita imobilidade, me disse que isso estava prestes a acabar. Eu não queria que acabasse, mas, por outro lado, a maneira como eu estava reagindo a um beijo inocente podia significar que eu não estava pronta para os beijos de Dank Walker. Comecei a me mover e seus braços apertaram minha cintura.

— Não. Por favor. Ainda não. Deixe-me ter isso. — O som de súplica em sua voz enquanto suas palavras eram ditas contra a minha pele me obrigou a fazer o que ele pediu. Quem poderia dizer não a isso?

Sua respiração pesada fez com que pensamentos muito pervertidos passassem pela minha cabeça. Seus braços deslizaram ao meu redor e me puxaram para mais perto enquanto seu joelho abaixava, mas a perna ficou lá entre as minhas.

— Você vai sexta à noite? Eu quero você lá — ele disse quando finalmente ergueu a cabeça para olhar para mim.

Ele não era o meu tipo. Ele não era seguro, mas eu não me importei. Eu era uma estudante universitária. Havia passado tempo demais em segurança. Era hora de ceder um pouco ao lado selvagem.

— Sim, vou estar lá.

Dank fechou os olhos com alívio, e um sorriso apareceu no canto dos seus lábios.

— Eu estava preparado para chantagear você. Foi mais fácil do que eu pensava — respondeu ele.

— Me chantagear, hein? Talvez eu devesse ter resistido mais.

Os olhos de Dank baixaram e estudaram os meus lábios.

— O que você quer, Pagan? Basta pedir.

Uau. Ele estava mais uma vez um pouco intenso.

— Hum, bem, agora, eu quero tirar uma soneca porque não dormi o suficiente na noite passada. — Eu tinha certeza de que não era a resposta que ele esperava, mas era a verdade.

Dank retrocedeu e, de repente, senti frio.

— Não deixe Gee te obrigar a fazer coisas que você não quer. Ela não precisa de tanto sono quanto você.

Eles eram parentes? Nada mais fazia sentido. Ela parecia próxima dele, mas eles não eram um casal ou nada remotamente próximo disso.

— Eu sou uma garota crescida. Posso lidar com a Gee.

Dank deixou escapar uma risada curta e sexy e assentiu.

— Sim. Eu sei.

Dank

— Ela também não se lembra de você. Eu esperava que ela me esquecesse, mas por que ela não se lembra de você? — Senti quando ele chegou, mas esperei até que Pagan estivesse longe o suficiente para me virar e encará-lo.

Leif, o espírito vodu que no passado tinha reivindicado a alma da Pagan, estava a vários metros de mim. Pensei que tirá-la dele com o aviso de acabar com seu mundo seria o suficiente para mantê-lo longe. O garoto beirava à burrice.

— Ela não é da sua conta. Sugiro que você volte para Vilokan e brinque com seus amigos de lá. Minha paciência com você está se esgotando, *príncipe* vodu.

Ele olhou para mim com ódio e cruzou os braços sobre o peito.

— Não estou fazendo nada de errado. Eu a deixei em paz. Só vim ver se ela estava bem. Antes de você aparecer, proteger Pagan era a única vida que eu já tinha conhecido.

Leif tinha sido o anjo sombrio de Pagan. Um que ela não sabia que existia. Sua reivindicação doentia e distorcida sobre a alma dela tinha sido o motivo da minha luta contra seu pai, o senhor vodu dos mortos, em sua própria casa.

— Você já estragou o futuro da Pagan o suficiente. Ela só agora está aprendendo como é uma vida humana normal. Ela só precisa da minha proteção, de mais ninguém. Não vou tolerar que você fique rondando. Isso não é assunto seu.

Leif começou a dizer mais, porém Gee apareceu ao meu lado.

— Bem, olha só o que o inferno jogou aqui, cara — ela disse com um suspiro e se jogou na mesa. — Por acaso eu preciso fazer com que vocês dois brinquem direitinho? Porque eu vou fazer isso e aproveitar cada segundo.

O olhar de Leif se transformou em ódio quando ele mudou seu foco para Gee. Era evidente que eles não morriam de amores um pelo outro.

— Ela também não se lembra de você — rosnou Leif.

— Ooooh, olha só, Dankmar. Ele ainda é tão astuto quanto antes. Isso não nos torna os sortudos?

— Não vou embora até que um de vocês me explique o que há de errado com a Pagan — Leif exigiu.

Gee gargalhou e eu sabia que seu pequeno ataque de humor estava acabando. O príncipe vodu estava pressionando.

— Pagan está bem. Ela está se descobrindo sem a reivindicação do mal sobre sua alma.

Leif começou a dar um passo à frente, e Gee estava na cara dele em menos de um décimo de segundo. Ela se moveu em uma velocidade desumana e eu olhei em volta rapidamente para me certificar de que ninguém a tivesse visto.

— Você dá mais um passo nesta direção e *eu. Corto. Você* — ela sibilou. — Você precisa dar no pé. Esse é o seu aviso final.

Leif não discutiu. Ele se foi.

Gee praguejou e se virou para mim.

— Droga. Eu esperava que ele ficasse aqui. Teria sido bem divertido. Já faz um ano que eu tenho vontade de quebrar a cara vodu dele.

— Isso teria sido divertido de assistir — concordei. — Mas precisamos começar a trabalhar. Houve um terremoto no Haiti. É um dos ruins.

Gee suspirou.

— Acho que, desta vez, você vai me levar também.

Surpreso com sua falta de entusiasmo, parei e ergui uma sobrancelha em sua direção.

— Ah, não me olha assim. Eu gosto de ser uma universitária; é mais forte que eu! É muito mais divertido do que lidar com pessoas mortas.

CAPÍTULO 6

Pagan

Miranda estava de frente para seu armário com várias roupas sobre nossas camas e mesas quando entrei no quarto. Eu tinha passado o resto do dia verificando minhas aulas, falando com professores e encontrando uma cafeteria perto o suficiente para parar de manhã no caminho para cada aula.

— Nossos armários vomitaram? — perguntei enquanto fechava a porta atrás de mim e olhava a bagunça na minha frente.

— Talvez. — Ela mordiscou o lábio inferior com nervosismo. — Eu não tenho nada para vestir. Nada.

Eu sabia que ela tinha roupas suficientes para vestir um pequeno país inteiro. O que ela queria dizer é que não tinha nada para vestir em um encontro. Devia ser alguém de quem ela realmente gostava, porque há anos eu não a via surtar com essa história de roupa.

— Quem é o sortudo? — perguntei, movendo uma saia jeans azul que pertencia a mim e seu top azul-royal de lenço para que eu pudesse me sentar na minha cama.

— Nathan. O cara da balada. — Miranda bateu palmas com entusiasmo. — E olha só! Ele está na mesma fraternidade que o Jay. Eles querem que a gente saia para jantar esta noite e veja um filme.

Opa. Isso não ia funcionar.

— Hum, bem, a situação é a seguinte. O Jay tem *namorada* ou está obviamente saindo com alguém. Eu o vi ontem à noite na balada. Você sabe que eu não gosto de drama e isso aí é drama puro. Você vai ter que dizer ao Jay "não, obrigada" por mim.

O rosto de Miranda esmoreceu e ela deixou cair a jaqueta vermelha que estava segurando na frente do espelho.

— Pagan, por favor. Isso é importante pra mim. Nathan é, ele é tipo, eu simplesmente não sinto nada por ninguém assim, desde, desde... — Eu vi lágrimas nos olhos dela enquanto ela me olhava de um jeito que deu pena.

— Desde o Wyatt? — perguntei.

Ela fungou e acenou com a cabeça.

— Não é tão forte quanto o que eu sentia pelo Wyatt, mas acabei de conhecê-lo. Ele faz meu coração disparar e eu fico toda arrepiada quando ele me toca. Ele não é o Wyatt. Ninguém jamais será o Wyatt, mas, quando estou com ele, meu coração não dói.

Bem, que merda. Ela finalmente encontra um cara para seguir em frente e ele é um amigo do meu ex.

Simplesmente perfeito.

— Tenho certeza de que o Nathan ainda vai querer namorar você, mesmo que eu não saia com o Jay — assegurei a ela.

Miranda se aproximou, tirou as roupas do caminho e se sentou ao meu lado.

— Tenho certeza de que sim, mas eu não o conheço muito bem. Acabamos de nos conhecer. Tomamos café hoje e conversamos por horas. Ele me beijou. Foi... uau. Eu só quero que você esteja lá comigo no nosso primeiro encontro oficial. Vou me sentir melhor sabendo que não estou sozinha.

Merda dupla.

— E quanto à namorada do Jay?

Por favor, diga que ela é uma psicopata e que ela pode vir atrás da minha cabeça se eu for a qualquer lugar com ele. Esta será minha única saída.

— Nathan disse que o Jay e a Victoria não são um casal. Ela está na fraternidade que faz coisas com a fraternidade dele. Ela está atrás dele há mais de um ano. Jay aguenta a melação dela, e até ver você na balada, ele não tinha nenhum problema com isso. Agora, ele está interrompendo as coisas com a Victoria. Nathan disse que ele só fala em você desde que te viu. Vamos lá, vai ser divertido. Eu preciso de você lá.

Isso era um problema. Olhei para os olhos suplicantes de Miranda e sabia que não seria capaz de dizer não a ela.

— A que horas eles vão estar aqui? — eu perguntei, e ela saltou e gritou.

— Às sete — respondeu ela. Eram apenas três da tarde. O que ela estava fazendo se arrumando agora? — Temos quatro horas. Por que o pânico das roupas?

Miranda revirou os olhos.

— Porque vai levar quatro horas pra fazer tudo o que eu preciso para ficar apresentável.

Juntei as roupas que ela havia deixado na minha cama, levei para a dela e as deixei cair.

— Você guarda as roupas. Vou tirar um cochilo. Se eu tiver que ir com você, definitivamente preciso dormir um pouco. Estou exausta.

— Tá. Vou encontrar alguma coisa para você vestir, mas prometa que vai se levantar com bastante tempo para tomar banho e depilar as pernas. Eu vou escolher uma minissaia para você. O Jay sempre gostou das suas pernas.

Eca.

Dank

Uma adolescente que não está prestando atenção a uma placa de pare. Era a coisa mais comum. A diferença era que eu não estava perseguindo essa alma. Ela não havia me intrigado. O carro amassado estava envolto em um poste de eletricidade. Seus pais estavam ao lado chorando enquanto a esperança desesperada em seus olhos focava no veículo. Eles queriam que houvesse alguma chance de sua filha ter sobrevivido. De que quando o equipamento de cortar as ferragens acessasse o carro, eles a encontrassem viva lá dentro. Eu sabia que ela não estava. Sua alma começava a se libertar ao sentir minha presença.

Alcancei os destroços e tirei sua alma. Ela veio de boa vontade. Sua expressão confusa enquanto olhava de si para seus pais era uma que eu via diariamente. Ela ainda não entendia que não estava mais no corpo.

— Vamos, garota, é hora de você subir. Você terá outra vida antes que perceba. Diga adeus a esta aqui — Gee a informou quando agarrou sua mão e elas se foram.

Eu não fiquei por perto esperando seus pais descobrirem que seus piores medos eram verdadeiros. Eu estava farto disso por um dia. Só queria ir ver Pagan, mas ainda tinha milhares de almas para ceifar.

Fui em direção à caminhonete que havia capotado na tentativa de desviar do carro da garota. Parei onde os paramédicos estavam realizando uma reanimação cardiopulmonar (RCP) no motorista. Enquanto trabalhavam para salvá-lo, sua alma já havia se libertado do corpo e estava olhando para sua casca vazia. Gee apareceu ao meu lado e, sem dizer uma palavra, pegou a mão dele, dizendo que ele ia começar de novo e talvez, desta vez, ele pudesse evitar uma barriga de cerveja.

Pagan

— Isso é injusto. Completamente injusto. — Miranda fez uma careta para o espelho na frente do qual ela havia nos colocado. — Passei horas me preparando. Você gastou menos de trinta minutos e ainda está com uma aparência melhor.

Miranda era linda. Ela havia modelado seus cachos selvagens perfeitamente ao redor do rosto. O top vermelho sem mangas que ela havia combinado com a saia lápis prateada, que parava bem antes de atingir seus joelhos, destacava cada curva sua. Nathan não tinha chance.

— Com certeza você está viajando. Você é linda. Aceite e vamos — respondi antes que ela pudesse trocar de roupa novamente.

— Tem certeza? Você não está só dizendo da boca pra fora, né? — Ela ainda estava parada na frente do espelho, mexendo na blusa e no cabelo.

— Certeza absoluta. Vamos. Eles já devem estar lá nos esperando. — E eu queria acabar com isso.

— Talvez eu devesse ter escolhido botas. Você ficou matadora com essas botas de couro — Miranda falou sem se mover.

Olhei para as botas caramelo de cano alto que coloquei com a minissaia jeans que Miranda me fez vestir.

— Você pode usar as botas se quiser. Não me importo. Encontro outro calçado.

Miranda fez uma careta.

— Não. Essas botas não combinam com o que estou usando. Além disso, você acabaria calçando seu All Star ou algo ridículo assim. É um milagre eu ter conseguido fazer você usar isso. Não é hora de eu brincar com a sorte.

Eu sorri, porque ela estava certa. Se eu tirasse as botas, colocaria os All Stars.

— Então vamos — respondi, e abri a porta.

— Ok. Tá. Ok. Eu consigo — Miranda lembrou a si mesma no espelho, então se virou e veio na minha direção. Talvez eu conseguisse tirá-la do quarto antes da meia-noite.

— Está tudo bem, Miranda. Ele é apenas um garoto e isso é apenas um encontro — assegurei-lhe enquanto a empurrava porta afora e para o corredor.

Ela acenou com a cabeça.

— Você está certa. Ele é apenas um garoto. É apenas um encontro.

Descemos para a grande sala onde eles disseram que nos encontrariam. Eu podia ouvir risadas femininas e vozes graves, conforme nos aproximávamos.

— Estou ouvindo eles — Miranda sussurrou.

— Sim. Parece que estão entretendo algumas das nossas vizinhas. — Talvez Jay visse alguém de quem gostasse e me deixasse em paz. Então *ela* que lidasse com a Victoria maluca.

Entramos na sala para ver Jay conversando e rindo com uma garota que eu ainda não conhecia, mas tinha visto no dia anterior quando nos mudamos. Garotas sempre flertavam com Jay. Ele tinha aquele tipo de personalidade amigável. Os olhos de Nathan focaram em Miranda instantaneamente. Seu sorriso quando ele olhou para ela fez tudo valer a pena. Eu gostei daquele cara.

Nathan deu uma cotovelada em Jay quando nos aproximamos e ele parou de falar com a ruiva e se virou para olhar para nós. Seus olhos passaram por mim devagar. A garota com quem ele estava falando estendeu a mão, apertou seu braço e disse algo sobre vê-lo amanhã à noite. Quase ri. Ele tinha acabado de ser pego marcando um encontro com outra enquanto esperava por mim. Isso foi impagável. Se eu não estivesse indo a esse encontro pelo bem de Miranda, usaria como minha desculpa e daria meia-volta imediatamente. Mas eu não poderia fazer isso com ela. Não quando Nathan tinha aquele olhar de adoração reverente para ela. Sim, eu teria que lidar com Jay, o Romeu, a noite toda. Talvez Miranda e a ruiva pudessem se encontrar e sair os quatro da próxima vez.

— Pagan, uau. Você está incrível — Jay elogiou enquanto vinha na minha direção, deixando sua nova amiga para trás.

— Por favor, não me deixe interrompê-lo — respondi, voltando minha atenção para a garota que esperava sua resposta.

Ele estava nervoso. Eu sorri para ele de forma tranquilizadora.

— Sério, Jay. Não me importo. Termine sua conversa. Não estou com pressa.

Jay me estudou por um momento e pude ver a indecisão em seu rosto. Eu não era a jovem apaixonada de dezessete anos que ele havia deixado para trás. Isso já eram águas passadas. Ele balançou a cabeça, suprimiu a distância entre nós e pousou a mão nas minhas costas.

— Estou pronto para a gente ir. Só estava sendo simpático.

A cara feia da garota dizia o contrário. Tirei sua mão das minhas costas e dei um passo para trás.

— Se você a estava chamando para sair, por favor, termine o que começou. É falta de educação — sussurrei.

Ele soltou um suspiro.

— Porra.

Eu o observei enquanto ele passava a mão pelo cabelo em frustração. Eu o conhecia muito bem, sabia ler sua linguagem corporal.

— Você não deveria ter ouvido aquilo. Droga. Eu estraguei tudo. Convidá-la para sair enquanto esperava por você foi desrespeitoso. Sinto muito.

Dei de ombros.

— Só vou neste encontro porque a Miranda me implorou. Você sabe que eu não consigo dizer não a ela. Então, não se preocupe. Eu poderia dizer para você ficar com a ruiva, mas a Miranda precisa de mim esta noite. Então, você está preso a mim.

Os olhos de Jay se arregalaram.

— Espere. Não. Eu não quero um encontro com ninguém. Quero estar com você. Sinto saudade de você. Aquilo lá atrás era apenas eu sendo um idiota. Estou acostumado a convidar garotas para sair sempre que uma parece divertida, mas é um hábito. Eu recusaria ela e qualquer outra se tivesse a chance de sair com você.

Bem, isso era fofo, mas infeliz, porque, hábito ou não, eu não era burra o suficiente para cair nessa.

— Esse seu hábito não é saudável e é cruel. Vá terminar o que começou. Vou esperar com Miranda e Nathan.

Fui em direção à porta onde eles dois tinham ido para nos dar um pouco de privacidade. Não que precisássemos disso.

— Desculpe pelo atraso. Assim que ele terminar de marcar o encontro dele para amanhã à noite, a gente vai.

Nathan fechou os olhos e balançou a cabeça.

— Imbecil — ele murmurou. Quando os abriu de volta, ele olhou para mim. — Me desculpe por isso. Ele é um grande mulherengo, mas acho que você sabe disso.

Na verdade, não. No colégio, ele nunca flertava com ninguém além de mim.

— O Jay que conheço nunca teria agido assim. Isso me irrita. Eu gostaria que você desse um pé nele e voltasse lá para cima. Talvez chamar o Dank Walker, já que ele está atrás do seu corpo e o impressionaria com sua bunda sexy. — Miranda era louca. Jay merecia.

— Você conhece Dank Walker? — Nathan perguntou. — Tipo o vocalista do Alma Fria? — Eu podia ouvir a descrença em sua voz.

— Sim, ela o conhece. Eu o vi carregando os livros dela para a aula hoje — Miranda respondeu, presunçosa. Eu nem percebi que ela estava olhando.

— Ok, estou pronto. Mais uma vez, foi mal. — Jay se aproximou de nós.

— Você é um idiota — respondeu Nathan. — Um idiota burro.

Jay soltou um suspiro de frustração:

— Sim, eu sei.

CAPÍTULO 7

Pagan

Se Jay se desculpasse mais uma vez, eu enfiaria um pedaço de pão em sua boca. Pelo menos então ele se calaria. Tentei mudar de assunto várias vezes e, quando isso não funcionou, comecei a participar da conversa de Miranda e Nathan. O que deu certo por um tempo, mas agora eles estavam juntinhos sussurrando em seu lado da grande cabine e nós estávamos do nosso lado, com minha bolsa entre nós como uma barreira.

— Você vai me perdoar? — Jay perguntou.

— Eu não estou brava, Jay. Não há nada a perdoar. Estou neste encontro pela Miranda. Minha intenção em concordar nunca foi passar um tempo com você. Então, por favor, vamos falar sobre outra coisa. — Eu era um disco quebrado.

— Então, esse desinteresse que estou recebendo de você não é porque eu fui um idiota, mas porque você realmente nem estava a fim de sair comigo, para começar? — ele perguntou com uma pequena surpresa em seu tom.

— Exatamente. Você é um velho amigo. Foi bom ver você outra noite, mas é isso. Estou aqui por Miranda.

Jay se recostou e mexeu no guardanapo em seu prato.

— Eu tive uma chance de fazer você mudar de ideia e estraguei tudo. — Ele estava fazendo beicinho. Fantástico.

— Tínhamos o nosso lance. É uma lembrança muito boa, mas agora estamos mais velhos. As coisas mudam.

— Você me deixa sem fôlego quando entra em algum lugar, isso não mudou — ele respondeu, erguendo o olhar para mim.

Podia ser um comentário fofo o suficiente para eu passar um pano se estivesse interessada, se eu estivesse interessada. Ele era apenas um bom amigo. Estendi a mão e apertei a sua.

— Obrigada. Foi bom ouvir isso, mas podemos apenas concordar em ser amigos. Assim, quando seu hábito de convidar garotas atraentes para sair entrar no meio do caminho, a gente pode dar risada — provoquei.

Jay me deu um sorriso torto.

— Deus, eu senti sua falta.

— Bem, eu realmente não senti tanto a sua — respondi. Em seguida, comecei a rir ao ver seu olhar magoado. — Estou brincando. Também senti sua falta. — Talvez. Quando pensava nele. O que não tinha sido muito no ano passado.

— Vocês dois fizeram as pazes aí? Porque se eu ouvir Jay se desculpar mais uma vez, posso empurrá-lo no meio da rua com um carro passando — disse Nathan, do outro lado da mesa.

— Sim, está tudo bem. Vamos ser amigos e o Jay pode convidar quem quiser, quando quiser — falei.

Nathan estudou Jay por um momento com uma expressão preocupada no rosto, e então forçou um sorriso.

— Se vocês estão de boa com essa configuração, então nós também estamos.

Miranda acenou com a cabeça.

— Sim. Parece um bom plano. Além disso, Pagan tem um encontro com Dank Walker na sexta à noite. Ele deu credenciais para os bastidores do show. E ele também vai me deixar entrar.

— Como você sabia disso? — Eu ainda não tinha contado para ela. Miranda deu de ombros.

— A Gee me disse.

Caramba. A Gee estava fazendo de tudo para eu ir. Ela já tinha descoberto que Miranda me pedia para fazer coisas que eu não queria. Embora, esta noite, eu quisesse ir. Dank Walker não parecia uma decisão tão ruim depois de sair com um cara "normal e legal". Ao menos quando estava com Dank, ele agia como se eu fosse a única pessoa por perto.

— Você não acabou de conhecê-lo ontem à noite naquele barzinho? — Jay perguntou com uma carranca no rosto.

— Não. Ele pegou os sapatos dela quando chegamos aqui ontem. Ela derrubou uma caixa de sapatos inteira na rua. Ele desceu da sua grande moto de bad boy e veio pegá-los para levar até o quarto dela. Acho que ele a está perseguindo. — Miranda ergueu as sobrancelhas.

— A banda dele não é conhecida por sua boa reputação. Eles são desordeiros e se metem em problemas. Ficar perto dele não é seguro, Pagan. — Jay não parecia convincente.

— Até agora, ele não tem sido nada além de bom, educado e muito atencioso — respondi enquanto me levantava. Eu não seria colocada na posição de defender Dank para Jay. Isso era ridículo.

— O importante aqui é que minha melhor amiga está saindo com o vocalista do Alma Fria e eu tenho credenciais para os bastidores. Não vamos mudar de assunto — Miranda entrou na conversa.

Nathan também não parecia muito animado com isso. Agora os dois estavam de cara fechada. Um pouco de ciúme seria bom para Nathan. Miranda estava fazendo com que parecesse muito fácil.

— Por que ele te deu credenciais para os bastidores? — Nathan perguntou enquanto pegava a mão de Miranda.

— Porque ele sabia que a Pagan não ia sem mim. — Ela estava certa. Eu não enfrentaria essa cena se ela não estivesse ao meu lado.

— Hummm. — Foi a única resposta de Nathan. Pobre rapaz. Ele queria protestar e sabia que não tinha esse direito porque acabara de conhecê-la.

— Então, que filme vamos ver? — indaguei, mudando de assunto.

— Bem, eu ia sugerir um filme de ação, já que há vários que gostaria de ver, mas, depois de ouvir que vocês vão sair com uma banda de rock no final desta semana, sinto a necessidade de melhorar minha imagem. Então, qualquer romance que você queira ver, estou dentro — Nathan disse.

— Ah, você está com sorte. Eu já vi o único romance que está em cartaz agora. Era uma merda. — Miranda riu.

— Graças a Deus — Jay suspirou dramaticamente.

— Filme de ação, então — Nathan anunciou.

Dank

Sentei-me na beira da cama de Pagan e olhei para o relógio pela centésima vez em dez minutos.

— Quanto tempo faz que ela saiu? — perguntei a Gee quando ela entrou no quarto.

— Eu estava com você, lembra?

Ela estava, mas voltou para casa antes de mim. Eu tinha começado a me preocupar com Pagan, agora que não tinha nenhum de nós cuidando dela.

— Antes que você diga que voltei uma hora antes de você, devo dizer que fiz uma parada rápida no caminho. Eu fui dar uma olhada na mãe da Pagan e fiz uma varredura para ver se eu sentia aquele vadio vodu por aqui em qualquer lugar. Ele sumiu. A mãe dela está bem.

Eu não poderia ficar bravo com ela por isso.

— Ela está com ele.

Gee apenas acenou com a cabeça. Ela e eu sabíamos que isso tinha que acontecer. Eu não poderia evitar. Seu coração tinha que escolher. Mas, *droga*, era difícil. Hoje ela havia se derretido contra mim do jeito que costumava fazer. Ela não me empurrou; ela me queria. Eu sabia que parte dela se lembrava. Seu corpo respondeu a mim, e eu tinha que acreditar que seu coração era forte o suficiente para restaurar sua memória. O calor da presença da sua alma tomou conta de mim.

— Ela está de volta — eu disse, levantando-me. Ela entrou no prédio.

— Vou ver o que posso descobrir, mas comporte-se no canto — Gee respondeu, acenando para mim.

Eu não era visível para os humanos nessa forma. Recuei para ficar no canto mais distante do seu quarto e esperei.

A porta se abriu e Miranda entrou conversando feliz. Eu não conseguia entender o que ela estava dizendo porque tudo em que eu conseguia focar era nas botas de salto alto e na saia curta que a Pagan estava usando. DIABOS. Eu ia pôr fogo naquelas botas assim que ela as tirasse. Do jeito que ela estava vestida, poderia provocar guerras. Eu iria caçá-lo e matá-lo se ele a tocasse. Eu ceifaria a alma patética dele, fosse a hora ou não.

Gee pigarreou e eu desviei o olhar do corpo deliciosamente vestido de Pagan para encarar Gee. Ela devia ter lido a intenção no meu rosto, porque me lançou um olhar de advertência. Essas botas iam desaparecer. A saia também.

— Fala, não foi tão ruim, foi? — Miranda perguntou, sorrindo para Pagan.

Pagan revirou os olhos e abriu o zíper das botas. Talvez eu não as queimasse, afinal. Eu as esconderia, em vez disso. Veria se eu conseguia fazer com que ela as tirasse para mim algum dia.

— Você abalou o mundo do Jay. Quando ele ficou tão cheio de si? Nossa. Amei quando você disse que não dava a mínima se ele chamasse aquela vagabunda para sair. Tipo, e o que foi aquilo? Quero dizer, ele estava aqui para te buscar e ela estava dando em cima dele. Desesperado, será?

Pagan tirou a bota lentamente e, se eu pudesse babar, tinha certeza de que estaria babando.

Caramba, que sexy. Ela pegou a outra bota para fazer a mesma coisa.

— Eu não me importo. Ela que fique com ele. Só porque eu namorei o cara por três anos? Isso não quer dizer nada.

Suas palavras invadiram minha imaginação lasciva e eu levantei minha cabeça para olhar seu rosto. Ela não gostava dele? O quê? Mas ele era sua alma gêmea.

— Ele é diferente do que eu me lembro. Ele é muito chato.

Gee sorriu na minha direção. Pagan alcançou o botão da sua camisa. Ah, sim.

Então a porta do banheiro se abriu e apareceu uma Gee bem visível.

— Então, as vadias se divertiram? — ela perguntou, interrompendo o desabotoamento da camisa de Pagan. Droga, Gee.

— Miranda se divertiu pra caramba. Eu sofri o tempo todo e a Miranda ficou me devendo uma.

Ela realmente não gostou… e estava desabotoando a camisa de novo.

— Jay não foi tão ruim. Ele só começou a noite convidando outra garota para sair enquanto esperava Pagan chegar. A gente encostou ele na parede. A Pagan lidou com tudo de maneira brilhante e cômica, mas ele ainda ficou parecendo um idiota.

Jay tinha convidado outra pessoa para sair? O cara não tinha visto o que a Pagan estava vestindo? Droga. Talvez eu não tivesse que me preocupar. Ele era um idiota. O último botão da camisa de Pagan se abriu e ela a deixou cair no chão. Eu me ajeitei para poder afundar na cama e assistir.

— Ela está animada com a noite de sexta. Não quer admitir, mas eu sei — afirmou Miranda, pegando a camisa descartada de Pagan e jogando-a nela.

— Você mudou de ideia sobre os caras de banda? — Gee perguntou. Eu não tinha certeza do que ela queria dizer, mas perguntaria assim que ela saísse.

Pagan ergueu um ombro e eu rezei por tudo o que era sagrado para que ela tirasse aquele sutiã rosa. Poderia ser considerado invasão de privacidade, mas eu era a Morte, cara. Merecia alguns privilégios.

— Decidi não julgar um livro pela capa. Não custa nada dar uma chance a Dank Walker.

— Ele pode querer mais do que uma chance — Gee murmurou para os meus ouvidos apenas. Pagan começou a desabotoar sua saia. Sim, por favor.

— Vou tomar banho. Vocês podem ficar à vontade para falar sobre mim porque eu sei que vocês vão — Pagan as informou e entrou no banheiro um pouco antes de sua saia deslizar por suas pernas e atingir o chão. Fiquei tentado a segui-la até lá, mas isso seria errado. Ela ficaria furiosa se soubesse. Olhei para Gee, que parecia prestes a rir de mim.

CAPÍTULO 8

Pagan

Eu fico fora de vista e apenas sussurro.
Palavras que não posso dizer. Palavras que você não precisa ouvir.
Palavras que não consigo impedir que confundam meu caminho.
Agora, eu não posso ficar sozinho. Não posso ignorar o que me mostrou.
Você me tomou pra si e eu não me importo se ficar evidente.
Nos seus braços, sou fraco, mas também sou mais forte.
Você me tomou pra si e eu preciso sentir você aqui perto.
Você quer mais do que seria capaz de entender.
Estou desamparado, precisando ceder a cada comando seu.
Querer ver você sorrir me consumiu e me deixou de mãos atadas.
Nada que eu ofereça poderia ser digno do seu amor.
É um milagre que você tenha me visto e nunca fugido.
Vou passar a vida inteira tentando ser o homem que você pensa que sou.
Agora, eu não posso ficar sozinho. Agora, estou sob a sua influência. Não posso ignorar o que me mostrou.
Você me tomou pra si e eu não me importo com quem fique sabendo.
Você me tomou pra si e eu não me importo se ficar evidente.
Nos seus braços, sou fraco, mas também sou mais forte.

Você me tomou pra si e eu preciso sentir você aqui perto.

Você tem fogo no seu olhar.
Que hipnotiza todos a quem você permite acesso ao seu labirinto.
Não sei nada dos seus pensamentos,
mas preciso me aquecer no calor dos seus raios.
Nada do que você faça pode estar errado.
Você é perfeita para sempre, em todos os sentidos.
Agora, eu não posso ficar sozinho. Agora, estou sob a sua influência.
Você assumiu o controle de mim e agora não posso ignorar o que me mostrou.
Você me tomou pra si e eu não me importo com quem fique sabendo.
Você me tomou pra si e eu não me importo se ficar evidente.
Nos seus braços, sou fraco, mas também sou mais forte.
Você me tomou pra si e eu preciso sentir você aqui perto.

A música assustadoramente doce tocava sem parar na escuridão. Eu não conseguia abrir os olhos, mas não estava com medo. Eu sabia que estava segura. As palavras me acalmaram e eu finalmente caí em um sono profundo. Olhos azuis que brilhavam contra a noite eram as últimas coisas de que eu me lembrava.

— ACORDA! Parece que você morreu. Eu juro. Levante sua bunda preguiçosa. Temos aula em dez minutos — Miranda estava gritando comigo enquanto me atingia com seu travesseiro.

Eu gemi, rolei e bloqueei o ataque do seu travesseiro de penas.

— Estou acordada. Você pode parar agora.

— Já estava na hora. Tentei de tudo. Estou acordada há mais de uma hora, por causa do seu despertador idiota. Não entendo como você conseguiu dormir com aquele bipe irritante.

— Eu não acordei com o despertador? — perguntei, sentando e apertando meus olhos para me proteger dos raios de sol. Já passava das oito horas. Eu não chegaria na aula de Literatura a tempo. Porcaria. Ótima primeira impressão.

— Não, você não acordou. Isso não acontece, tipo, nunca. O que você fez, tomou remédio para dormir?

Eu me levantei e me espreguicei.

— Não, eu só estava dormindo bem gostoso. — Pensei sobre a escuridão estranha e a música. A voz e a música... — Havia uma música — eu disse e parei. Miranda pensaria que eu tinha ficado louca.

— Não há tempo para falar sobre músicas agora. Aqui, vista isso e vá escovar seus dentes fedorentos. Precisamos ir. Que bom que você fica linda sem maquiagem.

Miranda colocou um par de shorts e uma blusa nos meus braços e me empurrou para o banheiro. Acho que eu não contaria a ela sobre a minha música. Se bem que eu queria contar para alguém.

Dank não estava na aula de Literatura. Fiquei desapontada por ele não ter aparecido e carregado meus livros, mas aliviada porque pude me concentrar nos estudos. Ser capaz de ouvir e focar garantiria minha aprovação nessa disciplina. Era a primeira aula e já tínhamos uma tarefa. Também tivemos que trabalhar em grupos; essa não era a minha praia. Três garotas e três garotos por grupo. Tivemos que ler três diferentes obras da literatura sobre homens autodestrutivos. Em seguida, tivemos que escrever um artigo do ponto de vista feminino e um do ponto de vista masculino sobre exatamente como os homens nas histórias atribuídas eram autodestrutivos. Também tivemos que identificar com quem poderíamos relacioná-los atualmente e descrever como essa autodestruição afetava a política.

Enfiei meus livros na mochila e me dirigi ao quadro para ler as tarefas do grupo. Cada pessoa em nosso grupo tinha um endereço de e-mail ao lado do nome para que pudéssemos entrar em contato assim que lêssemos o primeiro livro, *Ethan Frome*. Eu estava um passo à frente, pois já tinha lido. A fila estava diminuindo porque várias pessoas saíam sem olhar. Aproximei-me e examinei a lista em busca do meu nome.

Keith Fromer
Pagan Moore
Jessi Gilheart
Jackson Driver
Maddy McGowin
Dank Walker

Parei de ler os nomes e olhei para trás. Como o nome de Dank estava aqui? Ele não estava nesta turma. Ou estava? A garota atrás de mim pigarreou de maneira irritada. Tirei uma foto rápida das pessoas do meu grupo e seus endereços de e-mail e saí do caminho.

Dank estava matando aula?

Dank

Quando terminei com as almas, já estava tarde para ir à aula de Literatura com a Pagan. Eu odiava ter perdido a oportunidade de me sentar ao lado dela, mas tinha ficado até tarde na noite anterior cantando para ela dormir. Era algo de que eu sentia falta. Não consegui sair antes de saber que ela estava dormindo pacificamente.

As portas do departamento de inglês se abriram e Pagan saiu com o cenho franzido. Eu não gostava de vê-la infeliz. Saí do meu esconderijo e entrei no caminho dela.

— Oh! Dank. Você está aqui.

Ela pareceu surpresa.

— Sim. Você esperava que eu tivesse trancado a disciplina? — perguntei, provocador.

A tensão no seu rosto desapareceu e ela sorriu para mim. Isso era melhor.

— Eu estava curiosa para saber por que você perdeu seu primeiro dia de Literatura.

Pagan tinha visto a lista. Também estudaríamos juntos. Quanto mais tempo eu pudesse ficar com ela, melhor. Agora que eu sabia que ela não estava realmente impressionada com Jay, podia respirar um pouco mais tranquilo.

— Eu me atrasei. Vou colocar a matéria em dia.

— Fiz anotações. Tenho algum tempo antes de encontrar a Miranda. Se você quiser tomar um café ou simplesmente ir até uma mesa externa, posso te dar tudo o que você perdeu — ela ofereceu.

Eu preferiria que fôssemos para algum lugar mais privado, mas isso não era uma possibilidade. Eu nunca seria capaz de explicar como eu conseguia entrar furtivamente em seu quarto com tanta facilidade e não tinha um quarto para ela se esgueirar.

Era algo que eu realmente precisava corrigir. Precisava de um lugar para pelo menos parecer que vivia lá. Ela ficaria curiosa e, até que eu soubesse que ela me amava, não poderia dizer quem eu realmente era. Não achei que ela fosse me aceitar se eu explicasse minha existência logo de cara.

A biblioteca. Podia ser isolada se você fosse aos lugares certos.

— E a biblioteca? — sugeri. Seus olhos brilharam.

— Perfeito. Precisamos conseguir uma cópia de *Ethan Frome*, se você ainda não leu.

Podíamos fingir que eu precisava de uma cópia de *Ethan Frome*.

— Vamos pegar o livro — respondi.

Pagan assentiu e começou a caminhar para a biblioteca. Peguei a mochila dela. Eu odiava vê-la carregando-a por aí. Parecia muito pesada nos seus ombros.

— Deixa isso comigo. Vai na frente que eu sigo — falei quando ela olhou para mim. Ela corou e murmurou um agradecimento enquanto se dirigia para o grande edifício de pedra de três andares que eu sabia que tinha um último andar muito tranquilo e isolado. Eu já tinha verificado.

Abri uma das grandes portas duplas e deixei Pagan entrar.

— Vá para o último andar — sussurrei para ela e acenei com a cabeça em direção à escada à nossa esquerda.

Pagan não discutiu. Ela obedeceu e eu a segui. A visão da sua bunda macia com o short que ela vestia hoje estava tornando essa ideia ainda melhor. Ela chegou ao último andar e olhou para mim.

— Para onde?

— Tem uma área de estudo nos fundos que geralmente fica vazia, para que a gente possa conversar sem incomodar ninguém — expliquei.

Não havia ninguém ali. Se houvesse, eu estaria preparado para convencê-los a partir.

— Você tem outra aula hoje? A minha era a única — Pagan perguntou enquanto puxava uma cadeira e se sentava.

— Meu dia também acabou, então não precisa se apressar. — Eu queria todo o tempo que pudesse ficar aqui sozinho com ela.

— Que bom. — Ela sorriu e puxou seu livro de literatura e um caderno. — Minha letra às vezes fica feia quando tento escrever rápido. Acho que vou receber um laptop pelo correio na próxima semana. Minha mãe vai mandar. Até lá, tenho que escrever tudo à mão.

Ela teve que passar uma semana sem um laptop. Eu sabia que seria difícil para ela. Eu queria que ela tivesse algo para digitar. Pagan gostava de fazer anotações completas. E não seria capaz de fazer isso com papel e caneta.

— Tenho um laptop que não estou usando. Você pode pegá-lo emprestado até que o seu chegue.

Seus olhos brilharam.

— Sério? Você tem um sobrando?

Eu não tinha um laptop, mas ia comprar um assim que saísse daqui.

— É todo seu.

— Obrigada. Você salvou minha vida. Essa é uma oferta muito atenciosa. Prometo que vou cuidar dele.

Sua expressão me fez querer comprar cinco laptops e qualquer outra coisa que ela quisesse.

— Sobre o show de sexta à noite... — ela começou.

Por favor, não deixe que ela desista de mim agora. Eu a queria lá.

— A que horas precisamos estar lá? Você vai cedo para ensaiar?

— O show começa às oito, mas vamos ensaiar por volta das cinco. Depois, relaxamos e ficamos nos bastidores até a hora do show.

— Oh, uau. A que horas devemos chegar?

Eu não estava preparado para essa pergunta ainda. Eu queria levá-la comigo antes e deixar a Miranda ir com a Gee mais tarde.

— Você seria contra ir para o ensaio e ficar a noite toda comigo?

Ela não respondeu de imediato. Observei uma série de emoções cruzarem seu rosto.

— Hum, tá. E quanto a Miranda e Gee? Eles iriam mais cedo também?

Balancei a cabeça.

— Não, elas iriam um pouco mais tarde.

Eu a queria sem seu séquito.

— Ah — ela respondeu e mordeu o lábio inferior várias vezes antes de olhar para mim. — Estaria tudo bem se eu fosse com elas? Miranda está ansiosa e a Gee ainda a deixa nervosa. Além disso, enquanto vocês estiverem ensaiando, eu vou ficar sozinha.

Tentei muito não deixar a decepção transparecer no meu rosto.

— Tudo bem, Pagan. O que quer que faça você se sentir confortável.

Lembrar a mim mesmo que isso levaria tempo era difícil. Eu queria recuperar o que tínhamos, mas, para Pagan, eu ainda era um cara que ela acabara de conhecer. Um em que ela não tinha certeza se confiava.

— Ok, obrigada — ela disse e começou a puxar mais papéis da sua mochila. Eu tinha esquecido que estávamos aqui para me atualizar sobre o que tinha perdido na aula. — Como eu disse, fiz anotações, mas provavelmente mais do que o necessário. Você pode dar uma olhada e copiar só as partes importantes. Vou encontrar uma copiadora e fazer uma xerox do plano de estudos para você. Ah, e vou procurar o livro também.

Ela se levantou e se dirigiu para as escadas. Me recostei na cadeira e fechei os olhos. Um dia, eu a teria de volta.

CAPÍTULO 9

Pagan

Encontrar a copiadora foi mais fácil do que eu pensava. Encontrar *Ethan Frome* também foi mamão com açúcar. Sete minutos depois, estava subindo as escadas para o pequeno esconderijo isolado com Dank. Eu tinha ido atrás da copiadora e do livro como desculpa para me afastar dele, poder respirar fundo e organizar meus pensamentos. Ele estava definitivamente interessado em mim. Eu não podia negar isso agora. E também estava mais do que certa de que ele escolheu aquele lugar para mais do que fins de estudo, e isso me excitava e me assustava ao mesmo tempo.

Dank estava recostado na cadeira com os pés apoiados na mesa e os tornozelos cruzados. Algo naquela pose era estranhamente familiar. Era a segunda vez que eu sentia como se o tivesse visto fazendo algo semelhante antes. Eu estava sonhando com ele? Era isso?

— Foi rápido — Dank falou lentamente enquanto virava a cabeça e seus olhos azuis encontravam os meus.

Coloquei o livro na frente dele e voltei para a minha cadeira vazia.

— Aqui está. — Entreguei-lhe o programa. — Tudo pronto. Você olhou minhas anotações? — perguntei para conversar um pouco.

Dank deixou suas pernas caírem de volta ao chão e se inclinou para a frente na mesa.

— Sim. Eu consegui o que precisava. Obrigado por me ajudar a ficar em dia. Eu não deveria ter faltado esta manhã.

Quando ele baixava a voz assim, eu tinha vontade de me abanar. Ele já era mortalmente sexy. Não precisava fazer sua voz ficar rouca e profunda. Isso tornava o sexy pior.

— Estou feliz que você vai na sexta-feira à noite — disse ele, se inclinando para mais perto de mim. Eu me senti me inclinando também em direção a ele, incapaz de impedir a atração.

— Obrigada pelo convite. — Minha voz parecia sair sem fôlego. Simplesmente ótimo. Eu falava de um jeito tão abalado quanto estava me sentindo.

Dank empurrou a cadeira para trás e se levantou. Observei quando ele se aproximou de mim e estendeu a mão. Eu sabia o que ele queria e eu queria também. Se eu estava prestes a conseguir uma reencenação do que tinha acontecido no dia anterior perto da árvore, então eu estava muito de acordo com isso.

Dank me levantou e envolveu minha mão atrás do seu pescoço. Enfiei meus dedos em seu cabelo e ele fechou os olhos e respirou fundo. Eu gostava de ver como meu toque o afetava assim. Deslizando minha outra mão por seu braço e ao redor do seu pescoço, observei seu rosto, fascinada pela ansiedade evidente na expressão da sua boca e no brilho dos seus olhos.

Decidi que não esperaria por ele desta vez. Eu o puxei para mim, capturei sua boca com a minha e tomei a liberdade de lamber seu lábio inferior. Era tão cheio e macio que eu queria provar desde a primeira vez em que o tinha visto.

As mãos de Dank deslizaram pelas minhas costelas até que estivessem logo abaixo do meu sutiã. Quanto a saber sobre garotos, eu era muito ingênua. Jay e eu nos beijávamos e dávamos uns amassos, mas nada tão excitante assim. Eu tinha certeza de que, se Dank tocasse meus seios, eu explodiria em chamas. Não havia como ele não notar minha respiração rápida. Eu estava quase envergonhada pela minha reação ao seu toque, mas os grunhidos suaves de apreciação vindos do seu peito enquanto ele provava meus lábios e minha pele me garantiram que ele estava gostando disso tanto quanto eu.

— Por favor, venha comigo sexta à noite — Dank implorou, enquanto continuava beijando meu pescoço e ao longo da minha clavícula. Este foi um pedido injusto. Ele me deixou toda quente e incomodada, em seguida, me implorou. Como uma garota poderia pensar com clareza?

— Não posso. Miranda precisa de mim — respondi, meu coração batendo rápido. Sua boca pairou sobre o decote da minha camisa e seu hálito quente fez cócegas na pele sensível dali. Eu estava quase implorando quando suas mãos deslizaram e seguraram minha bunda e me pegaram e me sentaram na mesa atrás de mim. Dank se posicionou entre as minhas pernas e colocou as mãos de volta na minha cintura.

— É provavelmente o melhor — ele disse, então, enquanto sua boca baixou para cobrir a minha novamente.

Eu queria saber o que ele queria dizer com isso, mas sua língua estava dentro da minha boca fazendo coisas que eu nunca tinha feito antes. Puxei seu corpo para mais perto do meu e o beijei de volta com toda a emoção e necessidade que ele estava provocando em mim.

— Se você vier, não vou conseguir ensaiar. Eu gostaria de ficar sozinho com você. Ouvir você falar, ver você sorrir, encontrar motivos para beijar seu corpo.

Uau. Talvez eu devesse ir...

Suas mãos lentamente deslizaram pela minha barriga até que cada uma segurou suavemente um dos meus seios. Quando as pontas dos seus polegares roçaram meus mamilos, eu me libertei do beijo e respirei fundo. A sensação vinda do seu toque atravessou meu corpo direto para o meu núcleo.

Dank se acalmou e me observou. Ele não moveu os polegares novamente, mas também não afastou as mãos. Eu olhei para ele, demonstrando que estava esperando. Ele me surpreendeu, mas eu queria mais disso. Seus polegares se moveram novamente e, desta vez, suas mãos subiram até que os dedos deslizaram para dentro do meu sutiã e o puxaram para baixo.

Foi quando ouvimos passos e vozes nas escadas. As mãos de Dank sumiram instantaneamente e ele estava endireitando minha blusa enquanto se afastava de mim. Pulei da mesa e sentei na cadeira, porque ainda não tinha certeza se minhas pernas estavam prontas para me sustentar.

Tive coragem de dar uma olhada em Dank, que estava sentado em sua cadeira com minhas anotações nas mãos. Sua boca estava fixada em um sorriso torto e eu podia ver traços do meu brilho labial em seus lábios. Estendi o braço e passei o polegar neles para limpar os vestígios que nosso beijo havia deixado. Dank agarrou meu pulso e o beijou antes de soltá-lo e se levantar.

— Não posso ficar aqui e olhar para você sem te tocar. Preciso de um pouco de ar fresco — ele admitiu.

Eu gostei daquilo. Gostei bastante daquilo.

Dank

Minha concentração foi atirada para o inferno. Tudo em que eu conseguia pensar era nas sensações de Pagan nas minhas mãos, toda suave e doce. Se não tivéssemos sido interrompidos, eu não tinha certeza de quanto tempo ela teria me deixado prosseguir e se eu teria sido capaz de parar se ela não tivesse me impedido.

Eu partiria para reunir almas em breve, mas primeiro tinha um ensaio com a banda. Eu não aparecia para todos os ensaios, mas, felizmente, os integrantes da banda nunca se lembravam disso. Às vezes, eles estavam muito chapados; outras, eu tinha que ajudá-los a esquecer.

— Você tem ensaio hoje à noite? — Gee perguntou quando apareceu na frente da minha Harley depois que eu estacionei.

— Sim, por quê? A Pagan está bem? — questionei sem descer, caso precisasse sair.

Gee revirou os olhos e balançou a cabeça.

— A Pagan está bem. Está enfurnada no quarto estudando. Fui proibida de entrar. Aparentemente, eu a interrompo.

Sorrindo, desci da moto e me dirigi para a entrada do clube que usávamos para ensaiar. Eles tinham uma sala nos fundos com um palco menor que tinha uma boa configuração de equipamentos. O baterista, Loose, era parente do dono. Gee caminhou ao meu lado.

— O que você está fazendo? — indaguei, olhando para ela.

— Estou entediada. E o Loose é gostoso pra diabo.

Excelente. Era só o que me faltava — Gee saindo com um humano. A Divindade estaria em cima de mim.

— Você não pode fazer nada com ele, Gee. Ele é humano.

— Não vou me casar com ele e ter filhos, Dank. Aquele cara é promíscuo. Um garoto sexy e sacana que me atrai. Só quero uma noite de diversão.

Parei do lado de fora da entrada e coloquei minha mão na porta para impedi-la de abrir.

— Você não pode entrar lá e flertar com ele. Estou com a Divindade agora no meu pé porque o irritei. Se você quebrar a mesma regra, quem vai sofrer sou eu.

Gee revirou os olhos.

— Dramático, hein? Eu só quero um pouco de diversão pervertida com ele. Isso nunca quebrou as regras antes. Só se apaixonar por humanos que é proibido. Transar com os safados não é nada de mais; já fizeram isso antes.

Eu não podia discutir porque ela estava certa. Contanto que não se apaixonasse por Loose, estaríamos seguros. E eu sabia que Loose não corria perigo de se apaixonar por qualquer mulher porque ele amava todas elas.

Gee entrou na minha frente no local do ensaio e percebi que ela havia feito uma rápida troca de roupa. O jeans e a camiseta "Foda-se" que ela estava usando agora tinham sumido e ela estava em um vestido vermelho curto e apertado com botas pretas que tinham caveiras vermelhas nas laterais. Balançando a cabeça, fui até o refrigerador e peguei uma garrafa de água.

— Olhe só pra você. Obrigado, Todo-Poderoso, pelos peitos que estão prestes a pular pra fora desse vestido! — Loose gritou atrás da bateria.

— Calma, garoto. Temos que repassar as músicas de sexta à noite antes de você levá-la ao banheiro e usar sua cabine favorita — avisou Les, o outro vocalista e baixista.

— Dank acabou de chegar. Por que vocês não fazem seu aquecimento enquanto faço companhia à amiga dele? Você a divide, não é, Dank? — Loose perguntou.

Amaldiçoei Gee em silêncio antes de me virar para encarar a banda.

— Ela é toda sua — respondi.

Loose saiu do seu banquinho e pulou do palco em segundos.

— Eu já volto! — ele gritou enquanto colocava a mão na bunda de Gee.

Quando ele baixou a cabeça em sua orelha para começar a sussurrar, eu os bloqueei. Não queria ouvir nada daquilo. O cara tinha acabado de encontrar alguém à altura. Ele nunca mais seria o mesmo depois disso.

— Você não liga que ele leve sua garota assim? Porque eu não quero nenhuma briga antes de um show tão grande quanto o de sexta à noite — disse Les, enquanto ia pegar uma garrafa de água.

— Ela não é minha garota, só uma velha amiga. Se fosse minha garota, ele não teria saído daqui vivo.

Les assentiu e tomou um gole.

— Registrado. Você quer começar e repassar os acordes enquanto o Loose se diverte e esperamos os outros dois chegarem?

— Sim, vamos fazer isso.

CAPÍTULO 10

Pagan

Apenas meus professores de Literatura e Cálculo sentiram a necessidade de começar as aulas uma semana antes do tempo. O resto não iniciou até a semana seguinte. Podíamos ir conhecer o professor e pegar o programa da disciplina, mas, depois de ter feito isso, minha primeira semana de faculdade chegou ao fim.

Eu poderia reler *Ethan Frome*, já que fazia dois anos que eu tinha lido. Também poderia ir tomar um café e revisar meu programa de Cálculo. A disciplina me assustava muito; eu nunca tinha sido uma pessoa das exatas.

Miranda saiu do banheiro vestida como se fosse para uma balada, mas ainda era só uma da tarde.

— Como estou? — ela perguntou, girando no lugar.

— Como se você quisesse dançar noite adentro e receber bebidas grátis a noite toda.

Miranda sorriu.

— Bom. Porque eu quero.

— Espere. O quê? Você percebe que é apenas uma da tarde? As baladas não abrem antes das oito da noite e, sem a Gee, você nunca vai conseguir entrar.

Miranda encolheu os ombros e começou a posar no espelho.

— Não vou a uma balada. Vou à minha primeira festa de fraternidade.

— À uma da tarde?

Miranda me lançou um olhar exasperado; em seguida, olhou para trás no espelho e franziu os lábios.

— Não, boba. Nathan estará aqui para me buscar às seis. Vamos comer alguma coisa e depois ir para a casa da ATO.

O que ela dizia ainda não estava fazendo sentido.

— Então por que você está pronta com cinco horas de antecedência?

Miranda parou de fazer poses sensuais no espelho, se virou e olhou para mim.

— Este é um teste. Tenho mais algumas coisas para fazer antes que ele chegue. Estou vendo como eu fico assim. Depois, eu vou me trocar, amarrar meu cabelo para cima e talvez usar um pouco de sombra azul nos olhos... Ou você acha que é demais? Talvez eu deva escolher prateado. — Ela continuou a divagar e eu cobri o rosto com um travesseiro. Estava exausta só de pensar em me arrumar uma vez, que dirá algumas vezes.

— Acho que você está oficialmente maluca.

Miranda riu.

— Eu sei que sim, mas tenho que estar perfeita. Esta noite tem que ser perfeita. Eu realmente gosto dele, Pagan.

Fiquei feliz por ela gostar, mas, sinceramente, por acaso ela precisava brincar de Barbie da vida real para impressioná-lo?

Uma batida na porta nos interrompeu e eu tirei o travesseiro do rosto e me sentei. Miranda foi até a porta e a abriu sem perguntar quem era. Quando vi quem estava ali, realmente desejei que ela tivesse. Era Victoria.

— Posso ajudar? — Miranda perguntou quando a reconheceu. Ela parou na frente de Victoria e colocou a mão na cintura. Era sua postura protetora. Como se Miranda fosse grande o suficiente para derrubar qualquer um.

— Estou aqui para ver sua amiga — Victoria respondeu.

— Este não é o seu dia, porque isso não vai acontecer.

Eu podia ouvir o rosnado em sua voz. Miranda acabara de fazer uma inimiga.

— Você sabe que Nathan está transando com minha irmã da Kappa, a Siera? Eles são amigos de foda há mais de três meses. Ele se encontrou com ela ontem à noite depois que deixou você.

Eu estava fora da cama e tirando Miranda do caminho antes que a vadia pudesse dizer mais alguma coisa. Eu não acreditava nela, mas sabia que Miranda, sim. Eu era boa em ler as pessoas e tinha visto a maneira como Nathan olhava para Miranda. Eu não tinha dúvidas de que ele já tinha saído com essa Siera, mas não pensei nem por um momento que ainda estava.

— Você veio aqui por mim. O que você quer? — questionei, desejando ter mantido distância de Jay. Esse era o tipo de drama que eu odiava e evitava a todo custo. Eu não gostava de brigas de garotas, especialmente por causa de um cara que eu não queria.

— O que quer que ache que você e Jay vão reacender, pode pensar duas vezes. Cai fora, sua vadia. Eu não vou dividi-lo. Ele fica na minha cama quase todas as noites. Você é apenas um sabor novo. Ele fica entediado com todas rapidinho. — O veneno escorrendo do seu tom era realmente desnecessário. Ela estava fazendo tempestade em copo d'água.

— Espero que você e Jay tenham uma vida longa e feliz na cama. Eu não me importo. Não estou interessada nele. Ele é um velho amigo e nada mais. Então pegue suas ameaças de volta e vá compartilhá-las com a ruiva no final do corredor, porque ela é a única no prédio que está a fim do Jay. — Eu não dei tempo para ela responder e bati a porta na sua cara.

O quarto estava estranhamente silencioso e eu olhei para trás para ver onde Miranda estava. A porta do banheiro estava aberta e o chuveiro, ligado. Esse não era um bom sinal. Ela tinha várias outras roupas e penteados para experimentar antes das 18h. Se ela estava tomando banho, significava que acreditava nas palavras maldosas que tinham saído da boca de Victoria.

Entrei no banheiro e me sentei no balcão. Eu podia ouvir o choro baixinho e os soluços vindos do chuveiro.

— Se serve de alguma coisa, eu não acredito nela — falei, alto o suficiente para que ela pudesse me ouvir sobre o barulho da água.

Miranda fungou e soltou uma risada forte.

— Eu acredito. Ele não quis me levar para o apartamento dele ontem. Mesmo depois de eu perguntar. Ele disse que faríamos isso outra noite. Ele recebeu um telefonema logo depois que terminamos o jantar e ficou agindo esquisito e pareceu nervoso pelo resto da noite. Até encurtou nosso encontro. Achei que estava imaginando coisas. Ele tinha sido tão doce quando me beijou… — Outro soluço.

Eu estava pronta para estrangular esse tal de Nathan.

— Então ele é o maior idiota conhecido pela humanidade. Você é linda e divertida, e qualquer cara que tiver a sorte de ter você interessada nele deve perceber como é afortunado e não estragar tudo.

Miranda soltou uma risada triste.

— Eu te amo, Pagan.

— Eu também te amo — respondi.

— Podemos assistir à segunda temporada de *The Vampire Diaries* hoje à noite e tomar sorvete? Eu preciso disso. É a primeira vez que eu acho que gosto de alguém depois de Wyatt e isso acontece. É uma merda — ela soluçou.

— Vou pegar o sorvete. Você desenterra os DVDs — falei enquanto descia do balcão.

— Sinto falta dele, Pagan. — Ela parecia tão triste e derrotada. Eu não tive que perguntar de quem ela sentia falta, porque sabia que ela se referia a Wyatt. Eu também sentia, mas sabia que sua perda era completamente diferente.

— Eu sei. Termine seu banho e estarei de volta em breve com bastante sorvete e duas colheres.

— Tá.

O celular de Miranda finalmente parou de tocar. Depois de barrar a porta e informar Nathan de que, se ele entrasse, eu chamaria a segurança do campus e mandaria prendê-lo, ele finalmente desistiu e saiu. Isso fazia dois dias. Eu estava enfurnada no quarto com Miranda desde então. Nós assistimos às temporadas um, dois e três de *The Vampire Diaries* e tínhamos comido mais potes de sorvete do que deveria ser permitido por lei. Eu duvidava de que caberia no meu jeans na segunda-feira.

Olhei de volta para o relógio. Já passava das 16h e eu sabia que Gee estaria invadindo o quarto a qualquer minuto para nos colocar em movimento. Miranda estava melhor hoje. Ela e eu rimos a maior parte da manhã. A única coisa que a fez franzir a testa foi o toque do celular. Finalmente havia parado por volta do almoço. Ou Nathan havia desistido ou estava mudando para o plano B, já que o plano A tinha dado errado. Miranda não atenderia àquele telefone. Por volta do almoço do dia anterior, ela deixara de ficar triste para ficar com raiva. Ela até saiu do quarto dizendo que ia tomar ar fresco, correr e talvez flertar com alguns garotos. Eu me senti muito melhor com sua recuperação.

A porta se abriu e Gee enfiou a cabeça para dentro.

— Você está pronta para ser uma groupie sexy esta noite? Você é VIP, baby. — Ela terminou seu comentário com uma piscadela.

Eu não tinha visto Dank desde o incidente com Miranda. Ele me ligou e mandou mensagens algumas vezes, depois de ter pegado meu número com a Gee e perguntar se podia falar comigo. Na noite anterior, tinha até sido um pouco *caliente* nas mensagens. Eu secretamente fiquei empolgada com isso, mas ele não deixou ir muito longe. Antes que eu ficasse toda quente e incomodada, ele disse boa-noite e me falou para ir para a cama para que eu descansasse.

— Sim, estou pronta, mas não sou uma groupie — respondi.

— Você é *totalmente* uma groupie. O único tipo de groupie que Dank Walker deixará chegar perto dele.

Capítulo 11

Dank

O resto da banda estava relaxando na área do salão principal dos bastidores. Eu até gostava deles, mas, geralmente, antes de um show, eles estavam com groupies e me davam nos nervos. Eu podia sentir o cheiro de tristeza e doença em muitas delas. O que os homens humanos viam como sexy muitas vezes me repelia, porque tudo que eu podia ver era a alma. Suas almas eram fracas e danificadas.

Afundei no sofá de couro e apoiei meus pés. Pagan estaria aqui a qualquer minuto, junto com Gee e Miranda, que gostariam de conhecer o resto da banda. Miranda ficaria desapontada. Eles eram como qualquer outra banda de rock. Tinham seus vícios e pensavam que todas as mulheres os adoravam. Eles eram tudo o que Pagan temia que eu fosse.

Uma batida na porta me surpreendeu. Achei que Gee entraria direto.

— Entre — falei e me levantei para cumprimentar Pagan. Eu queria mostrar as coisas para ela. Não era Pagan. Era uma groupie que eu tinha visto com Loose antes. Groupies não eram bem-vindas aqui. — Você escolheu o lugar errado — disse, sentando-me novamente para esperar a chegada de Pagan.

— Oops. — Ela riu e entrou na sala, fechando a porta. A garota não falava a minha língua? Ela também tinha herpes. Eu podia sentir o cheiro em seu corpo.

— Caia. Fora. Agora — ordenei, apontando para a porta. Eu veria sua alma novamente muito mais cedo do que deveria se ela mantivesse o uso de drogas.

— Mandão. Eu gosto quando um homem é o chefe — ela arrastou as palavras e veio na minha direção. Sua alma estava maculada. A aparência externa tinha todas as coisas que os humanos procuravam, mas, por dentro, ela era feia.

— Este é o seu último aviso. Vou chamar a segurança e você vai ser expulsa daqui. — Isso acontecia uma ou duas vezes por show. Era uma espécie de brincadeira entre as groupies ver se uma delas era talentosa o suficiente para que eu a deixasse ficar. Elas não entendiam que o que eu enxergava não era atraente.

— Pra que esse mau humor? Bem que me avisaram antes de eu entrar. Aposto que posso te deixar bem-humorado. — Ela quase chegou a mim quando saí do seu caminho e ela tropeçou para a frente e desabou no sofá. Puxando meu celular do bolso, disquei o número da segurança dos bastidores.

— Eu tenho uma garota aqui que se recusa a sair. Eu a quero fora do prédio.

— Já vamos cuidar disso, sr. Walker. — Foi a pronta resposta.

— Puxa vida, você nem me deixou mostrar o quanto eu sou talentosa — ela choramingou da sua posição esparramada no sofá.

A porta se abriu e Gee entrou, seguida por Pagan e Miranda. Pelo menos, eu estava do lado oposto da sala em relação à garota meio vestida deitada no sofá como se estivesse esperando por mim.

— Eu preciso chamar a segurança? — Gee perguntou enquanto olhava para a garota, cuja alma danificada também era a única coisa que ela enxergava.

— Já chamei. Estou esperando que venham buscá-la — respondi, contornando-a para estender a mão para pegar a de Pagan.

Antes da sua perda de memória, Pagan já tinha visto aquilo antes. Durante o tempo em que minhas fãs sabiam que eu tinha namorada, piorou. Levávamos na brincadeira: Pagan ficava tentando adivinhar quantas garotas invadiriam meu camarim antes do show. Agora, ela apenas parecia preocupada.

— Eu estava esperando você — assegurei-lhe enquanto ela observava a garota desprovida de blusa e cujos seios de silicone grandes demais estavam se derramando para fora do sutiã. Parecia incriminador. — Ela vai embora em um segundo. A segurança está vindo buscá-la; ela veio sem ser convidada.

Pagan franziu a testa e voltou seu olhar para mim.

— Onde está a blusa dela? — ela perguntou lentamente, como se esperasse que eu admitisse que tinha algo a ver com sua falta de vestimenta adequada.

— Provavelmente no outro camarim onde a banda está. Ela entrou aqui assim. Minha recusa em ficar com a banda e as groupies muitas vezes acaba atraindo as mais atrevidas para ver se conseguem me fazer mudar de ideia. Elas não conseguem. Eu não curto drogas nem ISTs.

Um pequeno sorriso apareceu nos lábios de Pagan quando a porta se abriu e um dos seguranças da casa entrou e puxou a garota do seu lugar no sofá.

— Quero ela fora da casa enquanto eu estiver aqui — eu o lembrei.

Ele acenou com a cabeça.

— Sim, senhor.

— Por que elas vão ficar? Elas também vieram sem ser convidadas — ela choramingou e deu um tapa nas costas dos caras. — Me deixe em paz. Eu tenho seios maiores do que elas e vou chupar. — A porta bateu atrás deles, interrompendo tudo o que ela estava prestes a dizer. Obrigado, Divindade.

Assim que a porta se fechou, respirei fundo.

— Uau, isso foi interessante — Pagan brincou.

Eu sorri para ela, então mudei minha atenção para Gee.

— Por que você não leva Miranda para conhecer o resto da banda. — Não foi uma sugestão; eu sabia que Gee e as outras também sabiam disso.

— OBA! — Miranda bateu palmas. — Eu trouxe minha caneta... Será que eles podem autografar minha camiseta?

Ela estava vestindo uma camiseta branca que a banda tinha vendido em um show na praia no ano passado. Ela levou Pagan para aquele show, embora Pagan não soubesse quem ou o que eu era na época.

— Eles também vão assinar qualquer coisa que você pedir, mas lembre-se de que eles são um bando de safados. Você vai acabar com muitos nomes no seu peito.

Miranda sorriu com meu aviso. Ela estava definitivamente com um humor melhor. Pagan me contou sobre o que tinha acontecido com a outra garota. Eu gostaria de poder dizer a ela que tudo ficaria bem. Que a alma que ela amava em Wyatt era a mesma que vivia dentro de Nathan, mas eu não podia. Ela teria que descobrir isso por si mesma.

— Deixa comigo. Ela vai ficar bem — Gee respondeu e conduziu Miranda de volta para fora da porta, me deixando sozinho com Pagan.

— Por que eu sinto que você as mandou embora de propósito? — Pagan perguntou, me olhando através dos cílios.

— Porque você é uma garota esperta. Tenho uma queda por mulheres com cérebro.

— Aaaah, isso explica por que você não se sentiu atraído pela modelo perfeita sem blusa que estava mais do que disposta a fazer o que você quisesse com ela.

Eu me encolhi pensando na garota que estava ali antes. Eu nem queria levar Pagan para o sofá e fazê-la se sentar no mesmo lugar onde a garota estava. Parecia contaminado agora.

— Tudo que eu queria fazer com ela era levá-la para longe de mim. Não tinha nada de atraente naquele desastre.

Pagan gostou da minha resposta, eu via em seus olhos. Eu estava provando a ela que não era o cara depravado e louco por sexo que ela achava que eu era, só porque eu era vocalista de uma banda. Ela deu um passo na minha direção e eu não estendi a mão para tocá-la. Eu queria ver exatamente o que ela estava planejando fazer. Se começasse a se afastar, eu poderia agarrá-la e segurar, mas agora eu queria que ela sentisse que estava no controle.

— Isso é muito sexy, Dank Walker. Só para você saber. A maioria dos caras não teria se importado com nada além da aparência dela. — O espanto em sua voz fez meu peito se expandir.

— Fico feliz que você perceba que sou um pouco mais profundo do que você imaginou.

Pagan colocou a mão no meu peito e subiu até tocar o colar que ela havia comprado para mim antes do meu último show, antes que sua memória fosse retirada. Ela disse que os vocalistas precisavam de alguns acessórios, então escolheu um nó celta em um cordão preto.

Disse também que o nó era infinito, assim como nós dois. Eu não o tinha tirado desde então. Eu o mantinha dentro da minha camisa, a menos que subisse no palco. Eu não gostava que as pessoas tocassem. Era um presente de Pagan. Era sagrado. Ela segurou o nó e eu tive uma estranha sensação de poder por ter suas mãos nele novamente.

— É um nó celta. Por que você escolheu isso? — ela questionou, olhando para mim com olhos intrigados.

— Alguém me deu — expliquei, esperando para ver se algo disso se encaixava com ela. Ela passou o polegar sobre o metal frio.

— O nó nunca acaba — disse ela baixinho, como se estivesse repetindo uma memória para si mesma.

Eu não respondi. Não queria interromper nenhuma pequena memória que pudesse estar tentando irromper na superfície. Ela tirou a mão do meu peito, se virou e se afastou de mim. Não era isso que eu esperava.

— O que foi? — indaguei, quase com medo de falar.

Ela encolheu os ombros e ouvi uma pequena fungada. Droga, ela estava chorando. Por que ela estava chorando? Dei duas longas passadas até que estava atrás dela e a puxei de volta para o meu peito.

— Por que você está chorando? — perguntei gentilmente.

Ela respirou fundo e balançou a cabeça.

— Não sei. — Ela estendeu a mão e enxugou as lágrimas em seu rosto. — De repente, tive vontade de chorar. Foi estranho. Desculpa. Não sei o que há de errado comigo.

Esperança. Eu tive esperança. O nó celta estava desencadeando algo dentro dela.

Pagan

Dank ia pensar que eu era uma idiota. O nó que se formou na minha garganta no momento em que segurei o colar foi estranho. Tive que perguntar e ele falou sobre a peça com tanta reverência na voz que não consegui conter o soluço. Meus olhos se encheram de lágrimas instantaneamente. Não era uma loucura?

Surpreendentemente, ele não estava chamando a segurança para me retirar da sala. Ele estava me abraçando. Ele era mesmo real? A maioria dos caras teria me considerado uma lunática. Seus braços estavam firmemente envoltos em mim. Eu descansei a cabeça em seu peito e gostei. Algo era reconfortante em deixá-lo me abraçar. Eu me senti segura.

— Nós vamos começar o show em breve. Você vem me assistir do lado do palco? Eu gostaria de poder olhar e ver você com segurança longe da multidão lá na plateia. Este é um dos clubes mais insanos em que tocamos.

Sua veia protetora deveria me irritar. Afinal, eu tinha acabado de conhecer o cara... mas não aconteceu. Eu gostei. Jay já tinha sido protetor? Alguém já tinha sido protetor comigo, além da minha mãe?

— Tá. E quanto a Miranda e Gee? — perguntei, ainda recostada nele, seus braços firmemente ao meu redor.

— Elas também podem ficar, se quiserem. Podem ficar à vontade para andar por aí ou ficar com você. Gee conhece os lugares de acesso restrito.

Essa era uma resposta que eu queria. Quem era Gee para ele?

— Como você conheceu a Gee? Pensei na primeira vez que os vi que vocês dois poderiam ser um casal, mas descobri que não é o caso.

Dank me virou de frente para ele.

— Gee é uma das amigas mais antigas que eu tenho.

Foi uma maneira estranha de falar. Por acaso ele queria dizer que eram amigos há muito tempo? Tipo, desde que eram crianças? Abri a boca para perguntar, quando a porta se abriu e entraram caras que correspondiam à minha ideia de roqueiros.

— Porra, cara, eu fiquei bolado quando me disseram que você expulsou a loira gostosa, mas, puta que pariu, não admira, se ela estava detonando essa merda. — Um cara com longos dreadlocks loiros puxados para trás em um rabo de cavalo e olhos castanho-escuros com bordas vermelhas, como se ele tivesse dormido muito pouco ou talvez fumado baseado demais, me avaliou abertamente.

— Loose, esta é a Pagan. Ela está comigo. Só comigo — Dank

avisou, mantendo as mãos fechadas na minha cintura. — Ninguém chega perto dela. Ninguém a toca.

Loose ergueu as sobrancelhas quase completamente raspadas.

— Entendi. Sem dividir a garota do Dankster. Mas é uma pena, porque ela com certeza é bonita.

Um cara com cabelos curtos e espetados de um vermelho anormal empurrou Loose.

— Você vai conseguir uma garota pra você. Fica na sua. Esse cara é assustador pra caralho.

Dank apontou para o cara que tinha acabado de falar.

— Esse é o Les. Ele tem o nome mais normal do grupo. E é o outro vocalista.

— Olá — cumprimentei, sem saber o que mais deveria dizer.

— Ela é toda certinha e tals. Isso é sexy — Loose falou, piscando para mim.

Um cara com a cabeça raspada e pelo menos quinze piercings por orelha se aproximou e agarrou Loose pelos ombros.

— Estacione sua bunda no palco antes de ficarmos sem baterista.

— Aquele é Rubber e, por favor, não pergunte — disse Dank, quando o careca assentiu e empurrou Loose porta afora.

— Hora do show, Dank. Vamos botar esse lugar pra quebrar! — Les gritou enquanto seguia os outros dois.

— Eles eram o que você esperava? — Dank perguntou, olhando para mim com uma expressão preocupada.

— Sim. Exatamente o que eu esperava — assegurei e me dirigi para a porta.

— Espere, esqueci de mencionar uma coisa.

Olhei para ele.

— O que foi?

Ele diminuiu a distância que eu havia interposto entre nós.

— Preciso de um beijo de boa sorte.

Minha nossa, sim. Eu poderia fazer isso. Coloquei as mãos em seus ombros e me inclinei para beijá-lo rapidamente nos lábios. Ele tinha outras ideias. Ele puxou meu lábio inferior em sua boca e chupou suavemente antes de deslizar a língua para dentro e se enredar com a minha. Acabou rápido demais. Ele deu um passo para trás e respirou fundo.

— Ok. Tenho que sair antes de decidir que eles podem fazer o show sem mim e trancar a porta.

A sensação vertiginosa a respeito do poder sexual que veio com suas palavras foi surpreendente.

Eu gostava de verdade de que ele estivesse tão atraído por mim. Se bem que... que mulher não gostaria?

Dank pegou minha mão enquanto caminhávamos para a entrada do palco. Com uma piscadela, ele a soltou e subiu no palco. A fumaça o envolveu e eu tive um momento de pânico quando a memória de estar presa na fumaça e ser resgatada me ocorreu de repente — mas isso nunca tinha acontecido.

A bateria começou a tocar uma batida tribal estrangeira, e os gritos dos fãs diminuíram. Observei enquanto Dank saía da fumaça e se dirigia ao refletor vermelho. Algo que parecia calcinha e um par de sutiãs estava pendurado no palco.

Eu levaria algum tempo para me acostumar com isso. Les saiu para a luz em seguida, e Rubber entrou por último.

A batida tribal ficou mais alta enquanto Loose tocava o som hipnótico. O som de uma guitarra elétrica entrou na mistura e, em seguida, a voz de Dank se juntou a ela.

Perigo, Perigo esfriando
Sabendo, mas ainda temendo
A morte vem e ainda assim você não a deixa ir
Em pé, presa por tiras de aço
Não ande. Não ande onde a luz não pode brilhar
Você sabe que o aviso foi dado
Vem pelo que é meu e sei que assim será.

Liberte, é tudo o que resta.
Liberte, seu pecado não tem ira.

O perigo foi o último pedido do Inferno.
Liberte, é tudo o que resta.
Liberte, seu pecado não tem ira.
O perdão ainda não foi concedido.
Ainda não. Ainda não.
Sem arrependimentos.

— Essa é a nova deles. Eu adoro — Miranda sussurrou quando chegou ao meu lado.

— É uma porcaria mórbida, é o que é — disse Gee, com um tom irritado.

Observei Dank enquanto ele cantava as palavras e me perguntei que música dele eu já tinha ouvido antes. Sua voz era familiar. Eu o tinha ouvido cantar alguma coisa. Suas músicas não eram pop, então eu sabia que não tinha passado no rádio.

Ele desviou os olhos para mim, e um sorriso apareceu nos cantos da sua boca antes de ele se virar para a multidão e começar a canção seguinte. Les conversou com os fãs. Dank podia ser a voz, mas não era a personalidade. Ele não se apresentou para a multidão. Les estava fazendo um bom trabalho. Mas as garotas gritavam o nome de Dank mesmo assim.

— Ele joga bem essa carta misteriosa — observou Miranda com aprovação. — Elas o amam porque acham que ele está escondendo algum grande segredo e elas querem saber qual é.

Gee bufou e nós duas nos viramos para ela. Se Dank tivesse um segredo, era ela quem saberia.

— Ninguém quer entrar na mente dele. Confie em mim.

Senti necessidade de defendê-lo, mas balancei a cabeça e olhei de volta para ele. Eu o conhecia há uma semana. Ela o conhecia pela maior parte da vida. Eu realmente não sabia de nada.

— Pare de franzir a testa, Peggy Ann. Eu estava apenas brincando. Dank Walker tem seus segredos, mas nada de que você fosse sair correndo. Confie em mim quando eu te falo isso.

Assim era melhor. Ela não estava sendo tão negativa a respeito dele agora. Eu gostava de Dank. Ele não era nada como eu havia imaginado. Comecei a dizer algo para Miranda quando os sons da guitarra de Dank se tornaram o único som que a gente conseguia ouvir. O resto da banda recuou, deixando-o no centro do palco. Algo em mim doeu. Era o som triste e solitário da música ou ver Dank parado ali na escuridão sozinho? Eu não tinha certeza do que era exatamente, mas fez meu peito doer. Então ele começou a cantar. Cada palavra mexia comigo. Algo sobre o que ele estava cantando. A melodia me envolvia. Eu queria ir até ele e abraçá-lo. Eu me apoiei contra a parede enquanto as palavras "Apesar disso, você fica" fizeram meu coração disparar. O que havia de errado comigo? Minha cabeça latejava violentamente, e as palavras "Apesar disso, você fica" martelando sem parar, enquanto minha respiração ficava difícil e minha visão, turva. Eu ouvi Gee me perguntando se eu estava bem. Ouvi a voz frenética de Miranda dizendo que eu estava tendo um ataque de pânico. Eu não conseguia me concentrar em nenhuma delas. As palavras estavam me afogando. Me sufocando. Eu precisava de ar.

— Licença — a voz de Dank invadiu minha névoa e eu consegui tomar uma inspiração profunda muito necessária. Tossi à medida que o ar adentrava meus pulmões. — Estou com você, Pagan. Está tudo bem. Sinto muito — ele murmurou outras coisas que não entendi, mas me acalmou. Meu coração desacelerou e as batidas diminuíram até se tornarem uma dor pequena. Dank estava me segurando e me embalando em seus braços. Sua mão acariciava minha cabeça com movimentos suaves. Eu estava repentinamente cansada.

— Ela está bem? — Gee perguntou de algum lugar próximo.

— Sim, ela está respirando com facilidade agora — respondeu Dank.

— O que diabos aconteceu? Ela estava bem em um minuto e, no seguinte, ela estava no meio de um ataque de pânico total. Eu sei o que era porque tive vários depois que meu namorado morreu. Eu percebi no rosto dela. A Pagan não conseguia respirar, não conseguia enxergar. — Miranda parecia perturbada.

Levantei a cabeça do peito de Dank e olhei para cima. Ele estava sentado no chão com as costas contra a parede e eu estava em seu colo. Miranda estava ajoelhada ao nosso lado, torcendo as mãos desesperadamente.

— Estou bem. Não sei o que aconteceu. Algo deu um clique — tentei explicar. Decidi não contar a eles que a letra da música tinha me deixado fora de controle.

— É a mudança. Você não dormiu o suficiente e está se adaptando. Estou forçando você a sair à noite e, depois, descarregando todas as minhas emoções confusas sobre você. Eu chorei em seu ombro e foi você quem me fez sentir melhor. É minha culpa. Eu preciso parar de ser uma bebê chorona.

Levantei a mão para interromper a necessidade repentina de Miranda de assumir toda a culpa pelo que tinha acontecido.

— Eu estou bem. Não é nada culpa sua. Não sei o que provocou isso, mas estou bem agora.

Eu me sentia como uma idiota enrolada feito um bebê nos braços de Dank. Era um milagre esse cara não ter me mandado passear ainda. Comecei a me levantar para deixá-lo voltar para a banda. Parecia que os outros membros continuavam sem ele. Ele saltou rapidamente e pairou ao meu lado como se eu fosse desabar no chão.

— Você deveria estar lá — eu disse a ele, indicando com a cabeça em direção ao palco.

— Eu posso encerrar a noite. Você quer que eu te leve de volta ao seu dormitório? — Seu tom preocupado tornava tudo aquilo ainda mais humilhante. Eu era a amiga louca e mentalmente instável.

— Não. De verdade. Estou bem, mas acho que vou embora, se Miranda estiver de acordo. — Olhei para ela, que acenou com a cabeça em concordância.

— Eu posso te levar. Ela pode ficar e ouvir o resto do set — ele ofereceu, estudando meu rosto como se estivesse esperando uma resposta aparecer.

— Eu cuido disso, Dank. Vá fazer o seu trabalho. Você tem uma longa noite pela frente — Gee resolveu e Dank lhe lançou um olhar de advertência. Era algo que eu estava acostumada a vê-lo disparar para ela. Dank fazia muito isso.

— Estou bem. Você vai cantar — assegurei a ele novamente e o empurrei de leve em direção à entrada do palco.

O franzido na expressão de Dank se aprofundou e ele começou a negar com a cabeça. Gee deu um passo à frente, o agarrou pelo braço e sussurrou algo com raiva em seu ouvido. O suspiro de derrota dele me incomodou, mas, quando ela terminou, ele assentiu e olhou para mim.

— Ok, se você tem certeza de que vai ficar bem. Basta dizer e eu vou te levar de volta para o dormitório.

— Absoluta — respondi.

Dank assentiu, se virou e correu de volta para o palco. A multidão da plateia explodiu em gritos e começou a repetir seu nome.

— Tudo bem, Peggy Ann, vamos tirar você daqui antes que ele cante de novo. Aparentemente, é a sua criptonita.

CAPÍTULO 12

Dank

Ainda era cedo e os alunos não estavam tomando o campus. Eu havia trabalhado arduamente durante a noite toda tentando manter a memória do colapso mental de Pagan fora da minha cabeça. Ela estava prestes a se lembrar. Estendi a mão e toquei o nó celta logo abaixo da minha camisa — ele havia desencadeado uma memória. A música que escrevi para ela a tinha feito cair de joelhos. As memórias estavam lá, tentando se libertar, mas por mais que eu quisesse que ela se lembrasse, eu sabia que a mente humana era uma coisa frágil. Gee me lembrou ontem à noite que eu poderia causar danos a Pagan na minha pressa para ela recuperar a memória.

— Dankmar — chamou Jaslyn, uma transportadora que também trabalhava como mensageira, saindo da névoa da manhã e, ao contrário de Gee, parecendo tão sobrenatural quanto seria de esperar.

— Sim — eu respondi, hesitante. A última vez que ela apareceu para me dizer algo não foi agradável.

— A Divindade não está satisfeita. Você está pressionando muito a garota, e ela nem mesmo se reconectou emocionalmente com a alma gêmea. A memória dela não será restaurada até que uma decisão justa possa ser tomada.

Por que eles estavam fazendo isso? Se ela não estava criando conexão com ele, não significava que seu coração já havia sido reivindicado, com memórias ou não? Havia uma razão pela qual ela era incapaz de sentir algo pela alma que tinha sido criada para ela.

— Eu não estou pressionando, estou aguardando, mas a alma que eles esperam que venha a significar algo para ela não tem chance. Ele também não está pronto para qualquer tipo de relacionamento.

Jaslyn me deu um sorriso triste.

— Devo te dizer para estar pronto. O momento vai chegar. As almas se conectarão e, quando o fizerem, você deve recuar e deixá-las. A morte não deve interferir. Seu trabalho não é proteger essa garota. Se ela te ama, virá até você. A morte não pode ir até ela.

— Eles querem que eu recue? — perguntei, incrédulo. Isso não ia acontecer. Se eu tinha alguma chance de vencer, teria que mostrar o que ela significava para mim. Seu coração sabia. A questão era que sua mente simplesmente não conseguia se lembrar.

— Você deve estar preparado para que as almas se conectem. É assim que deve ser. Você não é o destino dela. No entanto, se, no momento em que a alma encontrar sua parceira, o coração ainda desejar você, a escolha será dela. As memórias dela serão restauradas. Se ela escolher a alma gêmea, essas memórias serão perdidas para sempre.

Eu não respondi. Não havia mais nada a dizer. Eu tinha o poder de tirar a vida de um corpo, mas acabava por aí. O controle não estava nas minhas mãos. O destino não era meu para moldar. Jaslyn desapareceu, deixando-me com a mensagem e o aviso. Isso não iria acontecer tão facilmente quanto eu pensava. A Divindade conhecia o futuro. Eles sabiam o que viria a seguir. Preparar-me para a raiva que me consumiria era a menor das minhas preocupações.

Pagan

A batida na nossa porta às oito da manhã não foi bem-vinda. Era um sábado e eu queria dormir até tarde. Miranda gemeu e agarrou o travesseiro para cobrir a cabeça e as orelhas.

— Droga, quem será que é? — ela resmungou enquanto eu tentava tirar o sono do meu cérebro.

— Não sei, mas não vai viver muito — respondi, tirando as cobertas de cima de mim e saindo da cama. Olhei para baixo e percebi que tinha dormido de calça de moletom e regata. Eu estava coberta o suficiente, mas eram só oito horas, então a pessoa que estava batendo à nossa porta tinha que ser uma mulher. Desta forma, estar devidamente coberta não importava muito.

Abri a porta, e as palavras raivosas que eu estava prestes a dizer sumiram quando olhei nos olhos de um Nathan muito chateado e determinado.

— Eu tentei impedi-lo — disse Jay atrás dele.

Desviei meu olhar de Nathan para Jay. Em seguida, olhei para o corredor vazio. Como eles não tinham acordado todo mundo com aquela batida?

— O que é isso? — eu perguntei, confusa.

Nathan me tirou do caminho com pouca força, já que eu não estava esperando, e invadiu o quarto.

— Ela não quer atender minhas ligações e você não me permite entrar no prédio quando está acordada. Então, pedi ao Jay que subornasse uma garota e nos deixasse entrar enquanto você não estava acordada para me impedir.

Miranda sentou-se na cama e as cobertas caíram até a cintura, revelando a camisola branca fina com que ela dormia. Pensei em dizer a ela para se cobrir, mas sua expressão chocada me conteve. Não era como se eles pudessem realmente ver através da roupa.

— Nathan? — ela resmungou com uma voz sonolenta.

Ele se aproximou e se ajoelhou ao lado da cama dela. Depois, puxou o cobertor para cobrir os seios dela. Eu tinha que dar crédito a Nathan por isso.

— Eu preciso que você me escute. Não posso me defender se você não me der uma chance.

Eu não tinha certeza se Jay e eu deveríamos sair do quarto ou se Miranda me queria lá. Assim, apenas fiquei parada perto da porta.

— Não importa, eu superei. — Não chegava nem perto de soar convincente.

Uma maçaneta do outro lado do corredor começou a girar, então agarrei o braço de Jay, o puxei para dentro e fechei a porta rapidamente antes de sermos pegos com garotos no nosso quarto. Eu queria que Nathan pudesse dizer o que ele tinha vindo dizer.

Tanto Nathan quanto Miranda olharam para nós, agora parados na porta do quarto. Dei de ombros.

— As garotas do outro lado do corredor estão acordando — expliquei.

Nathan acenou com a cabeça em direção ao banheiro.

— Vocês podem entrar aí e nos dar um pouco de privacidade?

— Claro — respondi, agarrando a mão de Jay e puxando-o atrás de mim. Eu queria que esse assunto fosse resolvido e não seria fácil de convencer Miranda. Tínhamos passado dois dias inteiros tomando sorvete e assistindo ao Damon para superar esse cara.

Uma vez que estávamos em segurança no banheiro, soltei a mão de Jay e coloquei alguma distância entre nós. Na realidade, essa confusão era culpa dele.

— O que aconteceu com eles? — Jay perguntou enquanto eu pressionava as costas contra a porta do quarto de Gee.

— Você não sabe? — indaguei. Sério, ele estava tão ocupado com suas amigas que não tinha perguntado a Nathan o que havia acontecido?

— Nathan também não sabe. Pelo que você disse a ele na porta na noite em que ele tentou entrar, Victoria apareceu e contou para a Miranda sobre os hábitos sexuais do Nathan, e ela não estava interessada em fazer parte disso.

Eu não tinha sido muito clara, mas achei que ele acabaria descobrindo se estivesse de fato transando com aquela garota.

— Victoria apareceu para me alertar sobre você. Miranda ficou na defensiva e tentou se colocar entre nós duas. Então Victoria informou a Miranda que Nathan estava transando com uma garota chamada Siera regularmente. Eles eram, nas palavras dela, "amigos de foda", e Miranda precisava recuar.

Os olhos de Jay se arregalaram e ele balançou a cabeça.

— Essa merda não é verdade. Nathan e Siera tiveram um caso muito curto há uns dois meses. Era apenas sexo. Ele nem gostava muito dela. Acho que eles podem ter transado algumas vezes desde então, mas só porque ele tinha bebido muito em uma festa na casa da fraternidade e ela se jogou nele.

Balancei a cabeça

— Eu meio que percebi isso. Espero que tudo esteja sendo esclarecido lá.

Jay deu um passo na minha direção.

— E você? O que a Victoria disse para você?

— Ah, que você e ela transaram como coelhos e que eu precisava te esquecer. Que você não estava interessado em mim. Que eu era apenas o sabor da semana.

Jay fez uma careta e bateu a palma da mão no balcão.

— Pra mim essa merda já deu. Eu dei um fora nela, já a afastei de mim, mas ela ainda está convencida de que eu estou na dela.

— Você está tentando me dizer que vocês não transaram como coelhos? — perguntei em um tom divertido.

Jay franziu a testa.

— Claro, a gente transou algumas vezes. Ela é uma das pessoas mais fáceis do campus, mas eu não tenho nenhum sentimento por ela. Ela só foi útil. Agora, ela colocou na cabeça que eu quero algo mais.

Maravilha. Agora ele estava respeitando as mulheres.

— Hummm, me parece que talvez você deva ter mais cuidado com onde enfia suas partes.

Jay suspirou e encostou o quadril na pia.

— Isso arruinou qualquer chance que eu pudesse ter de conseguir outro encontro com você, não é?

Confirmei balançando a cabeça.

— Sim, praticamente. Se bem que, se isso faz você se sentir melhor, eu já era contra esse encontro com você antes de você ter convidado outra pessoa para sair na minha frente.

Jay passou as mãos pelo cabelo e praguejou baixinho.

— Eu não esperava que você voltasse para a minha vida, Pagan. Pensei em você o tempo todo, mas há mais de um ano venho dizendo a mim mesmo que você se foi. Eu nunca mais te veria. Eu não levava ninguém a sério porque sempre as comparava a você. Ninguém nunca está à altura. Sim, eu transei e saí com várias garotas, mas era minha maneira de lidar com isso. Se eu soubesse que você voltaria a entrar na minha vida, teria feito as coisas de maneira muito diferente.

Bom, isso era legal da parte dele. Não mudava como eu me sentia, mas ainda era bom ouvir.

A porta se abriu e Miranda enfiou a cabeça para dentro.

— Será que vocês podiam, tipo, sair?

— Hum, sim, eu poderia me vestir primeiro? — perguntei, estudando sua expressão muito satisfeita.

— Sim, espera. Mas não saiam ainda — disse ela, batendo a porta na nossa cara.

— Estou achando que meu garoto pode ter suavizado as coisas — Jay falou com um risinho.

— Sim, estou achando que você está certo.

A porta se abriu e um short jeans azul cortado e uma camiseta dos Rolling Stones que era totalmente justa demais, o que Miranda bem sabia, foram empurrados pela porta antes que ela a fechasse novamente. A fechadura clicou e olhei para Jay.

— Você vai ter que sair pela porta da Gee antes de eu me vestir.

Jay sorriu.

— Prometo fechar os olhos.

— Nem em um milhão de anos — eu assegurei a ele e me inclinei para pegar as roupas.

— Ah, Pagan, prometo que não vou olhar.

Ele só podia estar brincando comigo. Quando que eu me dispus a trocar de roupa na frente dele?

Bati na porta de Gee e, quando não obtive resposta, abri. Espiando lá dentro, encontrei o quarto vazio. Que bom. Pelo menos ela não precisava me ver saindo furtivamente de um banheiro com Jay.

— A barra está limpa, agora vá embora.

Jay fez um beicinho com o lábio inferior, eu o empurrei para fora e me tranquei lá dentro.

CAPÍTULO 13

Dank

A alma que ameaçava meu sucesso em reconquistar Pagan saiu caminhando do seu dormitório enquanto eu a esperava. Passei a perna por cima da Harley. O que diabos ele estava fazendo no dormitório dela?

— Gee — chamei baixinho, sabendo que ela me ouviria não importa onde estivesse. Era melhor haver um bom motivo para o sorriso bobo em seu rosto. Ele olhou para a janela do quarto de Pagan. Minhas duas mãos se fecharam em punhos e caminhei em direção a ele. Eu não tinha certeza do que dizer ou fazer, mas precisava saber por que ele estava no quarto dela.

— Ei, vá devagar, caubói. Aonde você vai? — Gee agarrou meu braço quando apareceu ao meu lado.

— Chutar o traseiro dele — respondi e puxei meu braço do seu alcance.

— Não. Você não vai. Isso deveria acontecer. Lembra? Ela vai se reconectar com a alma gêmea. As almas têm que conectar, Dank. Relaxa, porra.

Eu sabia disso. Eu odiava, mas sabia.

— Por que ele está saindo do dormitório dela de manhã cedo desse jeito e onde você estava, afinal?

Gee deu um sorriso maroto.

— Tenho certeza de que não foi nada parecido com o que você está pensando. Pagan ainda nem está a fim dele. E quanto a onde eu estava... vamos apenas dizer que seu baterista é um garoto feliz esta manhã.

— Ah, de novo o Loose, não. Você não pode se apegar, Gee.

Meus pensamentos foram interrompidos quando a porta do

prédio se abriu e Pagan saiu. Meu coração bateu forte ao vê-la. Ela estava com um short extremamente curto para usar em público, e a blusa não deixava nada para a imaginação. Eu a vi franzir a testa e segui seu olhar para o garoto que estava esperando por ela. Danem-se as regras. Eu não ia ficar parado ali e a deixar ir a qualquer lugar com ele, ainda mais vestida assim.

— Dank, não! — Gee gritou atrás de mim, mas a ignorei e continuei andando.

Quem era ela para me dar sermão quando tinha transado com o baterista — de novo.

Pagan desviou o olhar e seus olhos encontraram os meus. Um pequeno sorriso tocou seus lábios, e eu queria bater no meu peito em júbilo. Ela ficou feliz em me ver. Ela não sorriu para ele. Ela sorriu para mim.

— Dank? — A surpresa em sua voz foi acompanhada por um brilho de satisfação em seus olhos.

— Bom dia — respondi, tentando pensar em uma maneira de fazê-la entrar e se trocar sem parecer um idiota.

— O que você está fazendo aqui?

Esperando para te ver.

Seus olhos se arregalaram e eu percebi que, sem querer, tinha falado com sua alma de novo. Eu tinha que parar de fazer isso.

— Acordei cedo e pensei em passar por aqui e ver se você queria tomar café comigo.

Seu sorriso vacilou enquanto seu cérebro trabalhava com o fato de que ela tinha me ouvido falar dentro da sua cabeça.

— Pagan? Você vem? — Jay perguntou, mantendo distância de nós. Eu o deixei nervoso. Eu podia sentir seu medo.

Pagan franziu a testa e olhou para ele.

— Vem para onde? — Essa é a minha garota. Dê o fora mesmo nele.

— Pensei que a gente ia tomar um café e conversar enquanto eles, você sabe. — Ele apontou para o quarto dela.

Pagan olhou para mim e eu considerei seriamente implorar. Ela apertou os lábios e voltou os olhos para Jay.

— Hum, na verdade, não. Eu pensei que você estava indo embora. Tenho certeza de que o Nathan vai dar um jeito de sair. A Miranda tem carro.

Ela estava optando por vir comigo. O desejo de estender a mão, puxá-la para perto de mim e enviar um aviso possessivo para o garoto era opressor, mas me mantive sob controle.

— Você vai com ele? — Jay reagiu asperamente.

Desviei os olhos em sua direção e ele enrijeceu. Sim, era melhor ele entender o aviso.

— Sim, Jay, eu vou. Não que seja da sua conta.

Eu a beijaria assim que ele nos deixasse em paz.

Jay abriu a boca, e eu esbocei um rosnado. Ele parou. Garoto esperto. Balançando a cabeça, ele se virou e foi embora.

Abaixei-me e entrelacei meus dedos nos dela.

— Vamos comer. — Ela sorriu para nossas mãos, em seguida, olhou para mim.

— Tá. Onde?

Eu a puxei para mais perto de mim.

— Onde você quiser.

Ela olhou ao meu redor e viu minha Harley estacionada do outro lado da rua.

— Nós vamos nisso?

— Se estiver tudo bem para você. Posso prometer que você estará completamente segura.

Ela mordeu o lábio inferior várias vezes enquanto pensava nisso. Por fim, acenou com a cabeça.

— Ok, sim. Vamos.

Eu tinha trazido um capacete comigo para o caso de ela concordar em ir de moto. Tirei-o do compartimento traseiro, coloquei na cabeça dela e afivelei. Ela era adorável. Eu realmente deveria ter comprado um desses antes. Ela teria gostado de ir para a escola comigo todas as manhãs.

— Como estou? — ela indagou.

— Sexy. Muito sexy.

Um rubor cobriu suas bochechas e ela baixou a cabeça para esconder. Subi na moto e estendi a mão para ela.

— Venha aqui.

Ela deslizou sua mão na minha e eu a segurei firme enquanto ela erguia a perna atrás de mim e se encostava nas minhas costas. Quando deslizou seus braços em volta de mim, e suas mãos agarraram com força a camiseta que cobria minha barriga, fechei os olhos e suspirei. Sim, isso era bom. Muito bom.

Pagan

Andar na traseira de uma motocicleta apertando Dank Walker com força era uma daquelas experiências que todas as mulheres deveriam ter antes de morrer. Não havia nada comparado a isso. O cheiro sombrio e exótico que era só dele invadiu meus sentidos. Meus dedos e palmas continuaram percorrendo seu abdômen e, minha nossa, que delícia de abdômen. Ao contrário de outros que eu já tinha visto, os músculos dele eram muito, muito definidos. Ele tinha mais do que apenas um tanquinho. Eu lutei contra a necessidade de deslizar as mãos sob sua camiseta apenas para ver como era a pele que cobria uma barriga tão perfeita. Infelizmente, nosso passeio acabou muito cedo. Dank estacionou a motocicleta em uma pequena lanchonete que tinha uma placa anunciando o cardápio do café da manhã em uma lousa.

Dank desceu da moto e me ajudou a desmontar. Eu estava com as pernas um pouco bambas, mas isso funcionou a meu favor, porque ele segurou minha cintura e me puxou para o seu peito. Agora eu sabia como era aquele peitoral. E estava muito ansiosa para chegar perto daquele tanquinho e daquele peitoral.

— Gostei disso. Bastante — ele me disse em uma voz baixa e sexy.

Engoli em seco e balancei a cabeça. Não me custava ser sincera. Eu também tinha gostado muito.

— Sim, eu também — afirmei.

Olhei para baixo, mirando seu abdômen. Como eu queria vê-lo sem camiseta...

— O que você está olhando, Pagan? — O tom divertido em sua voz não mascarou o fato de que ele estava achando aquilo excitante.

Decidi ser corajosa.

— Eu estava aqui me perguntando como seria seu abdômen. Depois do nosso passeio, tenho algumas ideias, mas... — Eu parei.

As mãos de Dank apertaram minha cintura e ele respirou fundo.

— Se você quer que eu tire a camiseta, ficarei mais do que feliz em fazer sua vontade. Só que podemos fazer isso quando não tiver ninguém em volta?

Balancei a cabeça e pressionei os lábios para não rir. Eu tinha acabado de pedir a um cara para tirar a camisa. Por acaso eu já tinha feito alguma coisa assim antes? Era libertador.

Dank segurou minha mão e entramos no pequeno e atraente café envolto em aromas deliciosos. Era o tipo de lugar que a gente podia escolher onde sentar, então Dank nos conduziu à mesa de canto para dois mais distante. Ele puxou a cadeira para mim. Eu tinha certeza de que ninguém nunca tinha feito isso antes.

Assim que se sentou, ele se inclinou para a frente e seus olhos azuis estavam muito próximo do brilho que costumavam ter.

— Não sei como vou comer agora. Só consigo pensar no fato de que você quer tirar minha camiseta.

Rindo, cobri a boca e olhei ao redor. O lugar estava cheio, mas não muito. Tínhamos um pouco de privacidade onde estávamos.

— Desculpa. Eu não deveria ter dito nada.

Os olhos de Dank chamejaram e ele estendeu a mão e agarrou a minha.

— Não. Se você quer alguma coisa, me peça. Qualquer coisa.

Hum. Ok. Isso foi, uh, um pouco intenso, se bem que eu estava me acostumando à intensidade de Dank. Ele estava definitivamente interessado em mim. Não havia dúvida. Ele gostava de mim tanto quanto eu gostava dele. Jay não tinha chance contra isso.

— Vocês vão beber alguma coisa? — uma voz animada perguntou e eu puxei a mão para trás, assustada com a interrupção.

— Pagan? — Dank olhou para mim em vez de para a garçonete.

Tirei minha atenção dele para a garota que não estava olhando para mim. Ela estava se deleitando com Dank. Eu não poderia culpá-la. Nem um pouco.

— Suco de laranja, por favor.

Ela acenou com a cabeça, marcou no caderninho e, em seguida, olhou melancolicamente para Dank.

— Leite — respondeu ele, ainda me observando.

— Aqui estão seus cardápios. Volto em alguns minutos para anotar o pedido — disse ela a Dank, que a ignorou.

— Obrigada — respondi.

Ela saiu e eu olhei para Dank.

— Você está me deixando nervosa — falei. Ele franziu a testa e recostou-se na cadeira.

— Desculpa.

Excelente. Agora ele parecia preocupado. Como alguém como ele parecia tão duro e intocável em um minuto, e sensível e magoado no seguinte? Ele era uma grande contradição.

— Não se desculpe. Não tomei banho e não estou usando maquiagem. Eu não esperava te ver esta manhã quando a Miranda me chutou para fora do quarto com nada além dessas roupas para vestir.

Dank sorriu afetadamente.

— Você está perfeita. Você sempre está. — Então ele fez uma pausa e se inclinou para a frente de novo. — Por que Miranda te expulsou?

— Nathan veio se desculpar. Ele nos acordou batendo na porta. Jay estava com ele. De qualquer forma, não sei o que ele disse para melhorar as coisas, porque ela nos expulsou. Tenho certeza de que eles estavam ficando ocupados, por isso ela jogou roupas em mim e me disse para ir embora.

— Isso explica esta manhã. Eu estava preocupado por ter alguma competição.

Havia uma competição? Por mim? Caramba.

— Não, agora você é o único com quem estou interessada em passar mais tempo. — O sorriso satisfeito que iluminou seu rosto valeu a pena eu ter aberto o jogo.

Nossas bebidas foram colocadas na nossa frente e eu percebi que nem tinha olhado para o cardápio. Então, Dank explicou para a garçonete que precisávamos de mais alguns minutos.

CAPÍTULO 14

Pagan

Consegui acordar com o despertador naquela manhã, então tive tempo de fazer uma parada rápida para o café. Eu também ficaria mais desperta durante a aula. Miranda ainda estava dormindo quando saí. Sua primeira aula do dia não era antes das onze, então aquela era sua manhã para dormir até tarde. Infelizmente, não fui abençoada com uma dessas na minha grade.

Depois de passar a manhã de sábado com Dank, eu tinha ido à biblioteca e encontrado os outros livros de que precisava para minha aula de Literatura. Então tinha ido dormir cedo. Miranda havia saído com Nathan e não voltado até as sete da manhã de domingo. Mais uma vez, fui acordada cedo demais para um fim de semana. Ela insistiu que passássemos o dia comprando roupas íntimas e sapatos.

Troquei mensagens com Dank, e ele ligou uma vez, mas eu não o tinha visto. Não que ele não tivesse tentado. Miranda tinha acabado de consumir todo o meu domingo. Então, naquela noite, quando ela saiu com Nathan novamente, Dank não estava por perto. Pelo menos eu podia ir para a cama cedo.

A fila da cantina não estava andando muito rápido. Olhei para o celular para ver a hora; eu tinha quinze minutos. Eram uns cinco minutos de caminhada até lá, então deveria dar tudo certo.

Enfim, o cara loiro na minha frente se moveu. Ele estava segurando dois cafés e sorrindo para mim. Retribuí o sorriso e esperei que ele se afastasse para que eu pudesse me aproximar e pedir minha cafeína matinal, mas o cara não se mexeu. Ele estendeu um dos cafés para mim. O que ele estava fazendo? Ia dividir comigo? Hum, não, obrigada. Eu era exigente quanto ao meu café com leite.

— *Latte* de caramelo com chantilly. Só para você — disse o feliz estranho.

Como ele sabia o que eu ia pedir? E por que ele pediu para mim? Ele era um perseguidor? Eu deveria chamar a polícia?

— Próximo, por favor — o cara atrás do balcão chamou em um tom irritado. Estávamos atrasando a fila.

— Pega. O cara acabou de fazer. Eu não posso beber dois. — A bondade sincera em seus olhos me comprou. Talvez ele só tivesse tido um palpite de sorte. Ou talvez eu realmente devesse chamar a polícia.

Peguei o copo da sua mão e saí da fila. A garota atrás de mim suspirou alto e murmurou:

— Finalmente, obrigada.

Tomei um gole do café e percebi que era exatamente como eu gostava. Eu deveria pelo menos agradecer a ele e ser educada. Pensaria sobre a ordem de restrição mais tarde.

— Hum, obrigada pelo café. Não sei como você sabia o que eu queria, mas obrigada. Vou chegar atrasada para a aula, então isso ajuda.

— Posso te acompanhar? — ele perguntou, se movendo comigo enquanto eu ia até a porta.

— Uh, sim, eu acho. Você estuda aqui? — indaguei, enquanto ele caminhava ao meu lado.

Ele riu baixinho e os pelos dos meus braços se arrepiaram. Não era um bom sinal. Parei de beber o café. Algo estava errado aqui.

— Sou apenas um morador local. — Foi a sua resposta. Um *serial killer* local em cujas garras eu podia ter acabado de entrar. — Tenho que admitir que dei um palpite com seu café e tive sorte. Estava tentando te impressionar com meu cavalheirismo. Parece que, em vez disso, eu te assustei. Não foi minha intenção.

Ele era observador, eu tinha que reconhecer. Acenei com a cabeça, mas por enquanto não tomei outro gole do café. Toda essa situação estava começando a me incomodar. Eu não tinha um café que pudesse beber com segurança e chegaria atrasada para a aula se esse cara não me deixasse em paz.

— Estou curioso. Você tem namorado?

Bem, ele foi direto. Eu poderia mentir e mandá-lo pastar ou responder sinceramente e correr em direção ao meu prédio.

— Hum, não que seja da sua conta, mas não. — Agora devo correr?

— Então, você e o Dankmar, quero dizer, Dank Walker, não são um casal? — Espera.... O quê? Como ele sabia sobre Dank? Ele era um fã? Talvez este fosse um *stalker* do Dank.

— Ah, não. Acabei de conhecer Dank Walker — respondi, acelerando o ritmo. O cara fez uma pausa e eu pensei que ia me afastar dele até ouvi-lo correndo ao meu lado.

— Você não o conhecia antes da faculdade? Tipo no colégio?

Qual era a das perguntas desse cara? Ah. Perguntas... Ele era um daqueles repórteres de revista de fofoca. Só podia ser. Eu não sabia que a Alma Fria já era tão grande. Eu estava sendo assediada pelos paparazzi.

— Escute, acabei de conhecer o cara. Não sei nada sobre ele. Me deixa em paz — retruquei e empurrei meu café de volta para ele antes de me virar e sair correndo para atravessar a rua antes que o semáforo ficasse verde. Eu teria que contar a Dank sobre isso. Ou Dankmar... era esse o seu verdadeiro nome?

— Ei, Peggy Ann. De quem você está fugindo? — Gee perguntou, parando na minha frente quando cheguei ao prédio de ciências.

— Algum cara intrometido doido. Estou achando que ele era um repórter de fofocas. Ele estava me perguntando sobre meu relacionamento com Dank. Ou Dankmar, como ele chamou.

O olhar divertido de Gee desapareceu e ela virou a cabeça para a rua que eu tinha acabado de cruzar. Um esboço de rosnado apareceu no seu rosto. Olhei para trás e com certeza o cara ainda estava parado ali nos observando, segurando os cafés.

— Você o conhece? Porque ele me assustou pra caramba.

Gee balançou a cabeça.

— O moleque vodu não sabe quando parar.

— Moleque vodu? — indaguei, confusa.

Gee voltou seu olhar para mim.

— Nada. Água debaixo da ponte e essas merdas. Vamos. Na

verdade, temos uma aula juntas. Isso vai me divertir. Ah, e aqui está. É do garoto apaixonado. — Ela empurrou uma mochila nos meus braços.

— O que é isso? — eu perguntei, confusa.

— Você precisava de um laptop e Dank te mandou um. Vamos — Gee disse, girando em seus coturnos pretos e indo em direção ao prédio. Tive que me apressar para acompanhá-la.

Eu tinha esquecido que ele mencionou me deixar usar seu outro laptop. Isso tornaria minha semana muito mais fácil. Mamãe ainda não tinha dinheiro suficiente para comprar um para mim. Eu precisava agradecê-lo adequadamente assim que o visse.

Eu esperava ver Dank naquela manhã, mas não havia nenhuma maneira de termos mais de duas aulas juntos. Pelo menos eu tinha Gee nessa. Bem... talvez não fosse uma coisa boa. Ela podia acabar me distraindo mais do que qualquer coisa.

Gee tinha, inclusive, flertado com o professor. Descaradamente. Do tipo deixando-o vermelho várias vezes. O homem gaguejou durante a maior parte da aula. Foi mais divertido do que qualquer coisa. Eu não tinha aprendido nada. Pelo menos, ele nos deu algumas referências e um site com as tarefas desta semana.

— Não posso acreditar em você — falei, rindo, enquanto caminhávamos para o dormitório. Eu tinha três horas antes de Cálculo com Dank.

Gee deu de ombros.

— O quê? Ele era um fofo. Do tipo nerd quietinho. Gosto de foder com a cabeça deles. Além disso, que merda chata lá. Tenho coisas melhores para fazer.

— Se você quiser passar nessa matéria, é melhor prestar mais atenção ao que ele está dizendo do que em como fazê-lo corar. — Embora tenha sido engraçado de ver.

— Mudando de assunto. O cara de hoje de manhã. Fique longe dele se o vir novamente.

Ela o conhecia? Seu comentário sobre "moleque vodu" tinha me incomodado, mas Gee era estranha e dizia coisas estranhas. Eu havia estragado tudo. Agora, eu estava preocupada.

— Ele é perigoso? — perguntei, olhando para trás para ver se estávamos sendo seguidas. Talvez ligar para a polícia não fosse uma ideia tão ruim.

— Ele não vai te machucar. Confie em mim. Apenas o evite. Ele vai desaparecer em breve.

Deviam ser paparazzi, como eu presumi. O vocalista do Alma Fria não poderia manter o interesse deles desperto por tanto tempo. Não quando eles podiam perseguir estrelas de cinema aprontando umas e outras.

Quando viramos a esquina e a frente do nosso dormitório apareceu, vi Dank encostado na moto com os braços cruzados sobre o peito, conversando com algumas garotas. Ele parecia muito desinteressado, e seus olhos imediatamente encontraram os meus. Ele não disse nada a elas ao se endireitar e se afastar para vir na minha direção. Era assim que eu queria que um cara com quem eu estava pensando em namorar agisse ao flertar com outras garotas. Eu não conseguia tirar o sorriso bobo do rosto.

— Parece que Romeu estava esperando seu retorno.

Dank

Se meu tempo era limitado antes que a alma de Pagan começasse a se conectar com a de Jay, eu faria de tudo para que ela não pudesse me tirar da cabeça. Passei a manhã toda planejando nossa noite. Agora, só tinha que fazer ela concordar.

Gee murmurou:

— Pagan tomou um café de Nova Orleans esta manhã, enquanto passava por mim a caminho do dormitório.

Eu não precisava de uma explicação. Eu tinha avisado Leif, mas estava pronto para agir, não só avisar. Ela não se lembrava dele. O tempo de Leif com ela tinha acabado. A permanência dele só ia confundi-la.

— Ei — disse Pagan em forma de saudação.

Ela parou na minha frente. Não parecia chateada ou assustada. O que quer que Leif tivesse dito a ela não teve impacto. Guedê realmente precisava dar um hobby ao filho. Pagan não estava mais disponível para seu entretenimento.

— Bom dia. Como foi a aula?

Ela encolheu os ombros, em seguida, um sorriso divertido irrompeu em seu rosto.

— A Gee deixou o professor uma pilha de nervos com seu flerte descarado.

Gee era rebuliço na certa aonde quer que fosse.

— É mesmo? Acho que você gostou do show.

Pagan soltou uma pequena risada.

— Sim, eu gostei. Provavelmente não deveria, mas foi muito engraçado para ignorar. Enfim, foi muito mais fácil fazer anotações no laptop que você me enviou. Muito obrigada. Eu prometo cuidar bem dele.

— Dank Walker! Nossa, eu te vi semana passada no Club Butter. Você foi incrível.

Uma garota parou na frente de Pagan e colocou a mão no meu peito enquanto começava a tagarelar um pouco mais. Peguei seu pulso e tirei do meu corpo. Em seguida, estendi a mão ao redor dela, agarrei a mão de Pagan e a puxei para mim.

— Obrigado, estou feliz que você tenha gostado do show. Se nos der licença, estávamos tendo uma conversa particular — eu a informei. Ela olhou de mim para Pagan e um sorriso não impressionado distorceu seu rosto. Envolvi a mão na cintura de Pagan e a puxei para mais perto do meu lado. Ela veio de boa vontade.

— Ah, bem, quando você quiser um pouco mais de emoção, pode me encontrar bem aqui. — Ela apontou para o dormitório. Pagan devia viver no mesmo edifício que ela. Eu precisava deixar Gee ciente de que essa poderia ser vingativa.

— Tenho certeza de que nunca vai ser o caso — respondi.

A garota se virou e saiu andando com raiva. Ela não estava acostumada a ser rejeitada.

— Qual o problema dela? Todo cara com quem eu saio, ela vai atrás.

A resposta de Pagan me deixou tenso. Com que outros caras ela estava saindo? Eu não sabia que ela tinha saído com outra pessoa além de Jay. Gee estava escondendo algo de mim?

— Sério? — consegui perguntar em uma voz normal. A raiva e o ciúme que me percorriam foram reprimidos. Pagan não conseguia enxergar isso.

— Sim, sério, mas pelo menos você não marcou um encontro com ela bem na minha frente. Jay fez planos com ela durante um encontro comigo. Não posso dizer que achei ruim, mas foi um pouco constrangedor. Não ajudou meu ego em nada.

Ele era um idiota. Como poderia ser a alma gêmea da Pagan? Eles não combinavam. Ele estava longe de ser digno.

— O garoto é um idiota. Não há comparação entre vocês duas. Ela não pode competir.

Pagan respirou fundo, em seguida, virou o rosto para mim.

— Ok, sim, você é muito bom nisso, Dank Walker. Muito bom.

— Estou feliz que você goste do seu laptop. Sinta-se à vontade para usar a mochila dele para carregar seus outros livros. Isso significa que você vai de moto comigo para a nossa próxima aula? — indaguei, puxando seu capacete.

O canto da sua boca se curvou e ela pegou o capacete.

— Obrigada. Vou fazer isso e, sim, acho que vou pegar essa carona.

CAPÍTULO 15

Pagan

Eu ia sair com o Dank. Em um encontro de verdade, não um café da manhã improvisado — um encontro de verdade. Só nós dois. Eu estava animada e nervosa na mesma proporção. No entanto, não tinha certeza quanto ao que usar. Acho que Miranda se sentiu assim quando estava se arrumando para sair com o Nathan.

— Você fica muito bem de calcinha de shortinho e sutiã, mas acho que usar roupas pode ser necessário para onde vocês vão esta noite — disse Gee, ao atravessar a porta que ligava nosso banheiro contíguo e entrar sem bater.

— Engraçadinha — respondi, fazendo cara feia para ela. — Não sei o que vestir. Ele disse que eu poderia usar o que quisesse, mas isso não foi muito útil.

— Acho que ele não quis dizer que a roupa era opcional — Gee cantarolou ao se jogar na minha cama.

— Você acha? Obrigada por me deixar informada. Pensei que eu poderia desfilar por aí só de calcinha a noite inteira.

Gee riu.

— Pensando bem, é capaz de ele gostar, mas ainda voto nas roupas.

— Eu deveria usar algo casual ou me arrumar? Do que ele gostaria mais? — perguntei a Gee, ao esquadrinhar meu guarda-roupa limitado.

— Você quer a minha opinião sincera?

Olhei para ela por cima do ombro.

— Sim, eu quero. Você o conhece melhor que eu.

Gee assentiu.

— Tudo bem, vá com aquele vestido rosa e o sapato rosa de salto. Ele vai ficar todo derretido.

O vestido rosa? Sério? Eu nem estava certa da razão para eu ter aquele vestido. Nunca o tinha usado. Peguei o cabide e o puxei. Era sexy de um jeito meio inocente. Talvez fosse um pouco arrumadinho demais, mas ele não disse nada sobre não me arrumar demais. Eu me lembro de como ele havia pegado aqueles sapatos e os segurado como se fossem valiosos. Talvez ele tivesse uma quedinha por saltos cor-de-rosa.

— Use isso, e ele não será capaz de se concentrar. Eu juro para você.

Gee o conhecia bem. Eu seguiria a sugestão dela.

— Tudo bem. Se você diz...

Duas horas depois, eu estava depilada, sobrancelha feita, roupa vestida e pronta, quando bateram à minha porta. Quem será que era? Eu precisava encontrar o Dank no saguão dali a cinco minutos. Miranda ainda estava com Nathan. Eles haviam saído para almoçar, e o encontro ainda estava a toda, de acordo com as muitas mensagens dela. Gee tinha me abandonado quando comecei a pintar as unhas dos pés. Ela havia sobrevivido a todo o embelezamento que conseguia suportar.

Abri a porta e Dank estava lá de calça social cáqui, camisa social azul-escura aberta no colarinho e, é claro, botas, segurando uma dúzia de rosas vermelhas. Ele estava de dar água na boca. A expressão surpresa ao reparar no que eu estava usando não passou despercebida. Com o que ele estava surpreso? Por eu poder me arrumar direitinho?

— Pagan, você, é, nossa, eu... eu gosto muito de você de rosa.

Eu gostava muito desse lado dele. O lado não tão descolado e confiante. O que era vulnerável. Apontei para as rosas.

— São para mim?

Ele olhou para as flores esquecidas em sua mão e riu.

— Sim, são. — E as entregou para mim e percebi que aquela era uma primeira vez. Nenhum cara tinha me dado rosas antes.

— Obrigada — respondi, dando um passo atrás para deixá-lo entrar. Se ele tivesse sido visto no corredor, então alguém já teria dito algo àquela altura. Eu queria pôr as primeiras rosas que já tinha ganhado na vida na água antes de sairmos, e deixar Dank no corredor não era uma boa ideia. Ele poderia ser pego. Eu não tinha um vaso aqui... Vasculhei o quarto, procurando por algo em que eu pudesse pôr as rosas.

— Que tal isso? — sugeriu Dank, indo até a escrivaninha e pegando um porta-treco vazio que Miranda insistira que comprássemos para que combinasse com nossas coisas fofas de papelaria. Era perfeito.

— Sim! Finalmente isso veio a calhar.

Peguei o porta-treco e fui até o banheiro para limpá-lo e enchê-lo de água. Quando voltei ao quarto, Dank estava parado diante do meu quadro de avisos olhando para as fotos do ensino médio que eu havia prendido lá. Várias delas tinham Wyatt. Algumas com a minha mãe, mas a maioria eram apenas Miranda e eu. Eu não tinha tantas fotos assim dos meus anos no ensino médio. Especialmente do último ano. Não havia nada. Às vezes, nem sequer podia me lembrar do baile ou de quem estava nas minhas aulas. Tudo parecia um borrão. Minha mãe disse que era o trauma por ter perdido Wyatt que havia bagunçado a minha cabeça. Miranda sentia a mesma coisa, então fazia sentido. Ela tinha perdido o namorado, mas nós duas perdemos um dos nossos melhores amigos.

— É o Wyatt — expliquei, parando ao lado dele. — Ele era namorado da Miranda e um amigo próximo meu. Ele morreu ano passado.

Dank assentiu. Havia uma tristeza lá que era quase como se ele entendesse aquele tipo de dor. Ele também havia perdido alguém?

— Tenho certeza de que foi difícil.

É, foi terrível.

— Odeio a morte. É uma tragédia que vem para todos nós. Para alguns mais cedo do que para outros.

Os ombros de Dank ficaram tensos e ele se afastou de mim. O que eu tinha falado? Não era disso que eu queria estar falando esta noite. A morte era algo tão mórbido e triste.

— Sinto muito. Eu nem deveria ter puxado um assunto tão triste.

Observei enquanto Dank olhava pela janela em vez de para mim. Ele estava lidando com alguma coisa. Só queria saber o quê. Depois do que pareceram vários minutos, mas na verdade foram poucos segundos, ele virou o foco para mim.

— A morte não tem nenhuma influência nas decisões do destino.

Isso foi muito mais profundo que qualquer coisa que eu esperava que saísse da sua boca. Ele estava certo, mas ainda assim...

— É verdade. Acho que não podemos culpar a morte pela tragédia. O destino não é algo que se possa controlar.

Dank soltou um suspiro profundo. Acho que ele já teve que lidar com a morte vezes demais na vida. Parabéns, Pagan. Falou uma besteira e ferrou com o clima.

— Você está pronta? — perguntou ele, por fim, interrompendo o silêncio desconfortável.

— Estou.

Dank fez sinal para eu ir na frente e abriu a porta para mim. Eu me certifiquei de que não houvesse ninguém por perto antes de ele me seguir. A tensão no ar ao nosso redor estava densa. Eu sabia que era culpa minha, embora não soubesse o que tinha dito. Eu poderia forçá-lo a explicar o que havia sido ou deixar para lá por medo de estragar a nossa noite. Talvez ele pudesse se abrir por vontade própria comigo uma outra vez. Não captei nele a *vibe* de que quisesse tocar nesse assunto especificamente.

Quando chegamos ao estacionamento, eu estava prestes a sugerir que fôssemos no carro da Miranda, quando notei uma limusine parada na rua. Dank me lançou um sorriso de lado.

— Eu não podia te fazer subir numa moto usando vestido e salto alto.

Como ele podia saber que eu estaria usando vestido e salto alto?

— Gee — ele respondeu, sem eu ter que perguntar.

— Ah, isso faz sentido, mas Miranda havia me dito que poderíamos usar o carro dela. Eu sabia que a sua moto e o meu vestido não seriam uma boa combinação.

— Isso aqui vai ser mais divertido. — Ele deu uma piscadela, abriu a porta e me ajudou a entrar. O motorista não saiu. Achei estranho, mas não perguntei nada.

Dank

Ter Pagan sentada ao meu lado, usando aquele vestidinho rosa que eu amava e mostrando as pernas, aplacou a dor no meu peito, causada pelas suas palavras de antes, de odiar a morte. Ela não sabia do que estava falando. Na cabeça dela, a morte era um evento, não um ser. A maioria dos humanos a enxergava assim. Meu trabalho não trazia nem fama nem popularidade. Eu ceifava almas. A coisa que os humanos mais estimavam e que eu tomava deles. Pagan havia perdido Wyatt. Ela odiava a morte por causa dessa perda, mesmo o evento não sendo culpa da Morte.

— Então, você pode me dizer para onde estamos indo? — perguntou ela.

Eu podia ver a preocupação em seu olhar. Eu precisava sair dessa. Pagan estava sentindo e eu não queria que essa noite fosse estragada porque ela tinha dito que me odiava. Ela não teve a intenção. Era só que não ouvir que ela me amava estava me incomodando. Não ser capaz de ver aquele amor e devoção em seus olhos fazia todos os dias parecerem desoladores.

— Chegaremos logo. Você é sempre impaciente assim? — Sorri para ela, para que soubesse que eu a estava provocando, e seus ombros relaxaram. Eu a tinha chateado por causa da minha reação de antes.

— Sim, para falar a verdade, eu sou.

— Posso pedir para o motorista dar mais umas voltas só por diversão.

Pagan me empurrou com o ombro.

— Não me subestime. Eu posso acabar com você.

E eu ficaria feliz em deixá-la fazer isso.

— É mesmo? Acho que ver você tentando vai ser o ponto alto do meu ano.

Pagan ergueu as sobrancelhas com um olhar de desafio. Em seguida, se abaixou para tirar os saltos — mas que diabos? Ela colocou os dois no assento diante de nós e então se virou para mim.

— Você tem certeza disso? Porque o meu tamanho pode enganar.

— Se com isso você quer dizer que está prestes a pular em qualquer parte do meu corpo, então, por favor, Pagan, eu peço, *venha com tudo.*

O rosto dela ficou vermelho-tomate na mesma hora. Droga. Ela ia recuar.

— Ah... — falou, me encarando como se não soubesse o que fazer agora.

— Você estava prestes a me mostrar a facilidade com a qual me derrubaria. Não vá ficar tímida depois de me fazer ter esperança.

Pagan baixou a cabeça e deixou escapar uma risadinha. Tirei vantagem da situação e me movi rápido, deitando-a no assento enquanto me erguia acima dela antes de ela saber o que estava acontecendo.

— Te peguei. O que você vai fazer agora? — perguntei, enquanto o olhar assustado se transformava em um cintilar calculado. Ela deu um impulso e cobriu meus lábios com os seus, antes que eu me desse conta do que ela estava fazendo. Os dentes pequenos e brancos mordiscaram o meu lábio inferior, e Pagan deu uma breve passada de língua antes de entrar com ela na minha boca muito ávida. As mãos foram para o meu peito e se moveram para baixo, fazendo todos os meus pensamentos fugirem. Eu só podia me concentrar em uma coisa: Pagan e a sensação dela, seu gosto e os sonzinhos de prazer que vinham da sua garganta.

Suas mãos me empurraram para trás e as pernas se entrelaçaram na minha cintura. Eu me afastei, puxando-a comigo, e ela manobrou o corpo até estar montada no meu colo. Enterrei as mãos em seus cabelos enquanto ela apertava as laterais da minha cintura, depois, devagar, ela se afastou. O sorriso triunfante no rosto dela foi adorável.

— Quem está por cima agora? Não me subestime — apontou ela, com a voz sensual.

Se eu já não fosse completamente dela, eu seria agora. Essa era a minha Pagan.

CAPÍTULO 16

Pagan

A primeira coisa que eu vi através do insulfilme das janelas da limusine foi o cintilar das luzes brancas. Havia milhares delas. Eu me movi para olhá-las de perto e vi para onde o motorista havia nos levado. Eu tinha acabado de passar dez minutos no colo de Dank, beijando e sendo beijada até perder os sentidos.

O espaço enorme parecia um campo com um coreto bem no meio, coberto por luzes brancas. Fios de luz tinham sido amarrados do coreto até as árvores ao redor, conferindo a sensação de que aquele era um dossel de luzes. O que era esse lugar?

A limusine parou e eu olhei para Dank, que me observava em vez de olhar pela janela.

— Onde estamos? — perguntei.

Dank sorriu daquele jeito sensual que só ele sabia fazer, e o motorista abriu a minha porta. Eu fui escorregando pelo assento até sair e Dank veio logo atrás. Ele agradeceu ao homem alto que, em seguida, entrou no carro e partiu.

Olhei ao redor do local isolado que Dank havia obviamente feito um grande esforço para deixar tão incrível.

— Não é o Jardim das Hespérides, mas, bem, quem quer comer maças de ouro e fugir de um dragão? Este jardim é uma opção muito melhor.

O garoto roqueiro tinha acabado de comparar esse lugar ao jardim de Hara? Impressionante. Mas, bem, ele estava sempre me surpreendendo.

— É maravilhoso. Como você fez tudo isso? — indaguei, enquanto ele me pegava pelo cotovelo e me conduzia até o coreto.

— Eu tenho os meus meios.

Ele era sempre tão misterioso. Eu não deveria ter esperado que ele me dissesse como havia conseguido colocar um coreto tão grande e elaborado no meio de um campo deserto e depois cobrir o lugar com luzes.

Os três degraus do coreto estavam delineados por luzes brancas. Havia uma mesinha redonda no meio da área coberta. Uma toalha prateada cobria a mesa e havia duas cadeiras ao redor dela. Um buquê de algumas flores exóticas que eu nunca tinha visto antes estava bem no meio da mesa. Havia luzes até mesmo dentro do vaso de vidro. Ele tinha mesmo se esforçado para fazer tudo aquilo. De repente, fiquei muito agradecida por não ter vestido um jeans surrado.

— Em que você está pensando? — ele perguntou, bem perto do meu ouvido. Estremeci com o calor do seu fôlego na minha pele.

— Estou pensando que você queria mesmo me impressionar ou que isso é algo em que você investiu para trazer as pessoas com quem você sai. — Eu estava de provocação, é claro, e sorri para ele ao dizer isso, então ele sabia que eu não estava falando sério.

— Nunca percebi o quanto uma língua afiada podia ser sexy.

Uma música suave começou a tocar nos alto-falantes escondidos nos cantos do coreto.

Dank estendeu a mão.

— Dança comigo?

Deslizei a mão na dele e ele me puxou para o seu peito. Aquilo era diferente da nossa primeira dança na balada. Era mais doce, mais sincero. Era menos atração e mais conexão.

— Pagan? — chamou Dank, baixinho, bem no meu ouvido.

— Oi — respondi, apoiando o queixo em seu ombro graças à altura do meu salto.

— Me promete uma coisa?

Era uma pergunta estranha. Pensei nela por um minuto, então assenti.

— Sim.

Ele soltou um suspiro profundo. Algo o estava incomodando naquela noite.

— Um dia, você vai precisar se lembrar disso. Lembre-se da sensação. Preciso que você guarde essa memória bem lá no fundo e se agarre a ela.

Era de longe a coisa mais estranha que alguém já tinha me dito ou pedido de mim. Ele falou quase como se estivesse à beira da morte.

— Hum, tudo bem — concordei, hesitante.

Ele soltou uma risadinha.

— Sinto muito. Às vezes, eu fico um pouco sério demais.

Não brinca. Ele pegou a minha mão e a ergueu, entrelaçando nossos dedos. Decidi que me esqueceria desse pedido agourento por enquanto e desfrutaria do encontro mais romântico que já tive.

Depois que a música terminou, Dank foi adiante e puxou uma cadeira para mim.

— Sei que parece que estamos completamente sozinhos aqui, mas não tenho a intenção de te matar de fome.

Olhei ao redor e, sem a menor dúvida, um homem de terno saiu do bosque carregando uma bandeja de prata e duas garrafas de Coca-Cola.

Sorrindo para Dank, eu falei:

— Não posso acreditar que você cuidou de tudo isso.

Ele me deu uma piscadela.

— Quis causar uma boa impressão, já que, oficialmente, é a primeira vez que saímos juntos.

— Bem, você chutou para longe todos os primeiros encontros que eu já tive, então pode sentar e relaxar.

Dank riu enquanto o garçom colocava as bebidas diante de nós e as abria. Ele ergueu a cloche da bandeja de prata e então pegou dois copos com gelo e os colocou ao lado das garrafas.

— Não sei como você sequer cogitou que eu seria capaz de me esquecer disso — falei, maravilhada, enquanto o homem colocava morangos cobertos com chocolate diante de nós.

— Ótimo. Essa é a intenção — respondeu ele.

Fazia quase um dia inteiro desde que tinha visto Dank ou tido notícias dele. Ele me trouxe para casa depois do nosso encontro na noite anterior e eu meio que esperava que ele estivesse me aguardando do lado de fora do dormitório hoje de manhã quando saí. Depois tive esperanças de que ele estivesse me aguardando do lado de fora do prédio da nossa primeira aula, de Literatura, mas ele não havia aparecido de novo. Depois do almoço, quando ele ainda não havia ligado nem dado notícia, comecei a me perguntar se eu tinha feito algo errado na noite anterior. Desde o primeiro dia em que tínhamos nos encontrado, ele dera um jeito de aparecer pelo menos duas vezes por dia. Pensei que, depois da noite que tivemos, ele estaria por ali com ainda mais frequência. Eu estava ansiosa para vê-lo. Quase mandei mensagem várias vezes, mas me segurei. Ele tinha o meu número.

Agora que o sol estava se pondo e Dank não tinha se dado ao trabalho nem de me mandar mensagem, decidi que a noite anterior devia ter significado muito mais para mim do que para ele. Talvez aquele fosse mesmo um cenário para primeiros encontros. Talvez não tivesse significado nada de mais para ele.

Arrumei meus livros e os enfiei na mochila. Passei as últimas duas horas na biblioteca estudando. Miranda estava se arrumando para outro encontro com o Nathan, e estava muito tagarela para me permitir fazer qualquer coisa. Isso não tinha sido muito melhor. Meus pensamentos continuavam voltando para ontem à noite e para o que eu devia ter feito de errado.

A brisa noturna estava anormalmente fria essa noite. Ajeitei a mochila no ombro e segui em direção ao dormitório. Eram quase dois quilômetros, mas supus que a caminhada seria um bom exercício. Eu não queria tentar estacionar o SUV da Miranda. Era bem capaz de eu arranhá-lo.

— Dank, para. — Uma risadinha feminina veio da escuridão. Meu sangue gelou.

Parando de supetão, esperei para ouvir mais. Com certeza eu tinha escutado errado.

— Quero uma provinha — respondeu uma profunda voz familiar. Meu estômago embrulhou.

— Não posso ficar nua aqui. Alguém pode passar — sussurrou a garota, e então ela soltou um gemido baixinho.

— Abra as pernas — demandou ele.

Eu queria mover as minhas pernas. Eu queria me afastar daquelas vozes, mas não podia. Minhas pernas não cooperavam.

— Bem aqui? — perguntou a garota, ofegante.

— É — disse ele, em um gemido baixinho.

É, eu ia vomitar.

— Ah, Dank. Mmmmm, isso é tão bom.

Saí correndo. Sem olhar para trás.

Dank

Passei o dia trabalhando para compensar o meu encontro com a Pagan na noite anterior. Hoje, no entanto, eu pretendia passar a noite com ela de novo. Entrei no estacionamento vazio do lado de fora do dormitório de Pagan antes de aparecer. Leif estava no banco diante do prédio, com uma perna sobre o joelho oposto e os braços cruzados. O que ele ainda estava fazendo aqui? Ela não o conhecia nem o queria. Agora que a alma dela estava livre da sua reivindicação, ela nem sequer podia se lembrar dele de uma semana para a outra. Daqui a uma semana, ela se esqueceria do cara estranho que havia pedido o seu café e lhe feito perguntas. Ela tinha uma alma. Ele não. Jamais poderia haver uma conexão duradoura. Um espírito nascido do vodu jamais poderia se conectar com uma alma nascida do Criador. Simples assim. Ele também sabia disso.

— Por que você está aqui? — Nem me dei ao trabalho de anunciar a minha chegada.

— Porque eu te devia uma. — Foi a sua única resposta.

O que diabos aquilo queria dizer? Olhei feio para ele.

— Explique-se.

Leif deu de ombros.

— Não há muito a explicar, Dankmar. Você tirou Pagan de mim. Ela jamais se lembrará de mim. Perdi tudo o que já conheci e amei. Então pensei que você merecia o mesmo em troca.

Ele ainda não falava coisa com coisa. Eu sabia que Pagan estava a salvo. Ele não podia mais tocar na alma dela. Eu tinha a vida da alma dela nas minhas mãos.

— Ela nunca te escolheu. Ela escolheu a mim. Você não tem nenhum poder aqui.

Leif ficou de pé e se afastou. Nem ele nem o pai gostavam de chegar muito perto de mim. Conheciam o próprio lugar no esquema das coisas. Meu poder era infinito; o deles era conjurado pelas crenças humanas. O peso do poder estava basicamente ao meu lado.

— Apenas digamos que estamos quites agora. Se tiver sorte, vai dar um jeito, mas o dano está feito. Adeus, Dankmar. — Leif olhou para o dormitório de Pagan uma vez mais antes de desaparecer.

O tom solene foi a única coisa que me preocupou. Ele parecia preocupado com alguma coisa. Incerto. Ele tinha sentimentos por apenas uma pessoa. Ninguém mais pesava em sua consciência. Pagan.

Eu precisava encontrá-la. Fechando os olhos, senti a sua alma. Estava ferida. Ela estava no quarto. Abri os olhos e encontrei Gee na minha frente.

— Você está muito encrencado. Não sei bem como, mas de uma coisa estou certa: está ferrado pra caralho. — Gee balançou a cabeça e apontou para a janela do quarto de Pagan. — Ela acha que você estava fazendo "coisas" atrás da biblioteca com alguma garota. Ela tem certeza absoluta de que era você. A garota chamou o seu nome e você respondeu. Nada bonito.

Porra.

— Não é que ela esteja apaixonada por você, já que não pode se lembrar de quem você é, mas, óbvio, está se sentindo traída. Está vociferando sobre ouvir os instintos e por estar feliz por ter descoberto logo de cara. Roqueiros são uns merdas e que você é a escória. Acho que isso resume tudo.

Eu me sentei no banco e enterrei a cabeça nas mãos. Como eu consertaria isso? Eu tinha feito progresso. Quando a alma de Jay começasse a se conectar com a dela, eu teria a vantagem. Eu teria encontrado uma forma de voltar a entrar no coração dela, mas agora? Ela pensava que eu tinha transado com outra garota? Ao ar livre? Quando?

— Quando aconteceu? — perguntei a Gee.

— Ela foi bater no meu quarto há uns quinze minutos. Chamando você de tudo quanto é nome, uns que eu sequer sabia que existiam.

Estamos quites agora.

As palavras de Leif se repetiram na minha cabeça. Ele esteva observando a janela do quarto dela. Ele tinha agido como se algo o incomodasse. Pagan estava chateada. Ele sabia a razão. Ele tinha feito aquilo. Eu a havia tomado dele e agora ele estava devolvendo o favor.

— Leif — falei, ao voltar a olhar para a janela dela.

— O quê? Você acha que aquela cria de vodu fez isso?

Assenti.

— Eu sei que foi ele. Ele retribuiu o favor.

— Pro inferno com isso. Vou dar uma surra nele — rosnou Gee.

— Preciso de você aqui com ela, Gee. Preciso que se certifique de que ela está bem. Cuide dela. Vou encontrar uma forma de consertar isso, mas ela não vai me deixar me aproximar agora.

Gee suspirou.

— Eu quero ir dar uma surra no vodu. Não ouvir uma mulher reclamar.

— Por favor, Gee.

— Tudo bem. Eu vou, mas você precisa pensar em algo para dizer a ela.

Assenti.

— Eu sei.

Gee se foi para fazer o que eu pedi.

CAPÍTULO 17

Pagan

Quatro dias me esquivando de Dank e ignorando Gee quando ela tentava abordar o assunto estavam começando a cobrar o seu preço. Era idiotice. Eu estivera em um único encontro de verdade com Dank Walker. Eu o havia beijado um punhado de vezes e me encantado por aquele carisma sexy que ele tinha. Toda garota se apaixonava por um cara de banda em algum momento. Acontecia. Era a vida. Você aprendia e seguia em frente. Eu estava pronta para superar. O motivo de me aborrecer tanto estava além de mim. Acontecia que eu nunca tinha sido traída, na verdade, mas será que aquilo era traição mesmo? Não éramos um casal. Não havíamos trocado promessas. Dank podia transar com uma garota do lado de fora do prédio se ele quisesse. Eu não faria sexo com ele. O cara era atraente. Estava fadado a acontecer. Meu orgulho tinha levado um leve golpe, mas eu estava pronta para outra.

Passei o fim de semana no quarto estudando sozinha. Era segunda-feira de manhã, e Dank estaria na minha próxima aula. Eu sorriria e seria educada, mas distante. Não havia razão para agir como se tivesse acontecido alguma coisa. Não era como se ele tivesse passado o fim de semana me ligando ou me mandando mensagens. Eu estava certa de que ele tinha ciência de que eu sabia do sexo ao ar livre, porque a Gee sabia. Infelizmente, ela estava lá logo depois que eu ouvi tudo, então viu a minha reação imediata. Eu esperava muito, muito mesmo que ela não tivesse compartilhado a cena com o Dank. Eu teria que fingir que não foi o caso se tivesse que encará-lo hoje.

Eu tinha me envolvido um pouco no romantismo da situação toda e esse tinha sido meu primeiro erro.

Abrindo a porta para a aula de Cálculo, eu me lembrei de que, na semana anterior, Dank tinha carregado os livros para mim. Ele havia me trazido para a aula na garupa da moto. Eu tinha dado uma surtada nessas duas últimas semanas. Era hora de voltar a me concentrar. Não percorri a sala com os olhos para ver se Dank já estava lá. Encontrei um assento vazio e me concentrei em chegar a ele e evitar que meus olhos vagassem ao redor. Se ele estivesse sentado com a escolha da semana, eu poderia muito bem ter dificuldade de prestar atenção no professor.

Largando meus livros na mesa, peguei os lápis e um caderno. Eu tinha entregado o laptop dele para a Gee e pedindo que ela devolvesse. Eu não precisava mais daquilo. É claro, isso não era verdade, mas eu estava com raiva.

Então um formigamento percorreu a minha coluna e eu soube, sem ter que olhar, que a sombra que havia caído sobre a minha mesa pertencia a Dank. Droga.

— Posso me sentar aqui? — A voz dele estava rouca e séria.

Estávamos rodeados por pessoas, e o professor estava indo para a frente da sala. Eu não poderia negar sem causar uma cena. Sem mencionar o fato de que eu o alertaria de que a sua escapadinha tinha me chateado.

— Claro — respondi, forçando um sorriso e me concentrando nos números que o professor estava escrevendo no quadro.

Ele tinha que se sentar assim tão perto? Eu conseguiria passar por isso se não tivesse que sentir o cheiro dele. Já estava ciente de que seu aroma era delicioso. Não precisava de um lembrete.

— Você vai olhar para mim? — perguntou.

Não, droga. Eu não queria olhar para ele. Forcei minha cabeça a se virar e encontrei seus olhos. Ele parecia triste. Eu não tinha esperado por isso. Por que ele estava triste? Eu não podia perguntar. Não permitiria que essa coisa fosse ainda mais longe. Havia traçado um limite. Ele teria que ficar do próprio lado, ou seja: continuar como meu colega de classe e amigo da minha colega de quarto. Nada mais.

— Podemos conversar? — A voz era suave. Ele não queria que ninguém o ouvisse.

— Não há nada para falar. Eu preciso prestar atenção se quiser passar nessa matéria — neguei, com o mesmo sorriso falso.

— Pagan — ele começou, e eu ergui a mão para detê-lo.

— Se quiser que eu continue sentada aqui, pare de falar agora.

Ele assentiu.

— Eu sinto muito.

Odiei a forma como ele se encolheu quando falei de forma ríspida. Eu só queria que ele fosse embora. Não queria sentir nada relacionado a ele.

A aula se arrastou a passo de tartaruga. Quando enfim acabou, não olhei para Dank. Consegui ignorá-lo a aula toda, o que tinha sido fácil, já que ele não tinha dito uma única palavra. Enfiei o caderno na bolsa e fiquei de pé. Dank ainda estava sentado na cadeira, encarando a frente da sala, com uma careta no seu rosto absurdamente bonito.

Eu não deveria me importar por ele estar chateado. Eu não deveria me importar. Eu não deveria me importar. Continuei repetindo o mantra para mim mesma enquanto descia o corredor e seguia para a porta. Eu não olharia para trás. Não havia razão para isso. A dor no meu peito ao sair do prédio deixando Dank lá sozinho daquele jeito me incomodou. Esfreguei a dor com a palma da mão e segui em frente. Eu tinha um grupo de estudos dali a meia hora.

Eu não tinha esperado ver Jay sentado nos degraus do meu dormitório hoje. Também não estava com humor para isso, mas talvez ele tivesse vindo pegar a ruiva. Eu ainda não sabia o nome dela. Podia ser a garota com quem Dank estava transando no escuro.

Sorri para Jay quando seus olhos encontraram os meus. Ele era um cara legal. Pelo menos era sincero. Não agia como se estivesse interessado em você. E te deixava claro que não era homem de uma mulher só. Eu tinha que respeitar isso.

— Oi, Jay — falei, ao chegar nos degraus. Não achei que tivesse que ficar ali para bater papo.

Jay ficou de pé, bloqueando o meu caminho.

— Pagan, oi.

Tudo bem, trocamos cumprimentos educados. Eu tinha trabalhos a fazer. Comecei a rodeá-lo, mas ele estendeu a mão e pegou a minha.

— Espera. Eu quero falar com você.

Bem, droga.

— Sobre o quê? — perguntei, olhando na direção da entrada para que ele entendesse que eu estava ocupada.

— Sei que ferrei com tudo na semana passada. Eu fui um idiota, mas você é tudo em que ando pensando nessas duas semanas. Não consigo tirar você da cabeça. Por favor, tome um café comigo. Vamos pelo menos ser amigos. Sinto sua falta.

Miranda estava ocupada com o Nathan o tempo todo, e agora que eu não tinha Dank por perto, estava sozinha. Seria bom ter um amigo. Com Jay, eu sabia em que pé estava. Ele era fácil de ler. Nada de segredos, nem de olhares ardentes que me passavam uma ideia errada.

— Seria legal sermos amigos. Eu preciso de um amigo. Miranda passa mais tempo no campus da Universidade do Tennessee com o Nathan do que aqui.

O enorme sorriso pateta que eu costumava amar se abriu no rosto de Jay.

— Podemos ir tomar o café agora? Ou você tem um encontro com um livro didático?

Os livros podiam esperar.

— Vou só deixar isso lá no quarto e volto. Por favor, sinta-se livre para convidar para sair qualquer uma que passe e chame a sua atenção — provoquei.

A careta de Jay apareceu e eu percebi que ele não tinha achado engraçado.

— Foi brincadeira. Se vamos ser amigos, você precisa relaxar — falei, então abri a porta e segui para o meu quarto.

Assim que cheguei à porta, os sons de gemidos me impediram de virar a maçaneta. Pressionei a orelha na porta e ouvi Miranda gemer de prazer. Ah, nossa. Ela estava mesmo transando com o cara. Afastando-me da porta, fui até a de Gee e bati baixinho.

Gee a abriu, ergueu a mão e tirou um chumaço de algodão do ouvido.

— O quê? Você não quis interromper o pornô ali do lado? — perguntou.

— Na verdade, não. Posso deixar minha mochila aqui? Jay está me esperando lá fora para tomar um café.

Gee fez careta e assentiu. Ela ergueu a mão e pegou a mochila comigo.

— É, tudo bem. — Qual era o problema dela? Era só a minha mochila.

— Há quanto tempo eles estão lá? — indaguei, olhando para o meu quarto, quando um gemido me fez me encolher. Eu poderia ter passado sem essa.

— Tempo o bastante. São coelhos. Malditos coelhos.

Pobre Gee, presa aqui ouvindo-os.

— Quer ir tomar o café comigo e o Jay?

Gee ergueu uma sobrancelha com piercing e balançou a cabeça.

— Não, obrigada. Estou bem. O algodão funciona.

— Ok, se você tem certeza...

O "ai, meu Deus" de Miranda ecoou pelo corredor. A garota era louca. Ela seria pega. Fui até a nossa porta e bati.

— Ponha uma mordaça, Miranda.

Gee balançou a cabeça e fechou a porta quando fiz o caminho de volta.

Jay estava de pé perto da porta esperando por mim. Ele também estava sozinho. Que surpreendente.

— Desculpa a demora. Miranda e Nathan estão no nosso quarto... — Minha voz foi sumindo.

Nathan riu.

— Ah, bem, fico feliz por eles terem mudado para cá. Eu já estava cansado disso.

— O quê? Está falando que não é a primeira vez?

Jay balançou a cabeça.

— Não. Não é há muito tempo.

Não acredito que ela estava fazendo sexo barulhento com um cara que acabara de conhecer. Não era de se admirar ela estar fora o tempo todo. Ela havia mergulhado de cabeça rápido demais. Teríamos que ter uma conversinha sobre isso. O primeiro relacionamento que tinha depois do Wyatt e ela já saltava para a parte física em menos de duas semanas.

— Eu não fazia ideia.

Jay deu de ombros.

— Acontece. Eles se gostam muito. Nathan fala dela sem parar. Pode ser um pouco cedo para o sexo, mas ambos pareciam incapazes de manter as mãos longe um do outro.

— É, eu ouvi isso. Várias vezes — resmunguei.

Jay bateu o braço no meu.

— Não se preocupe com isso, Pagan. Só fique feliz por ela finalmente estar encontrando uma vida depois do Wyatt. E, para ser sincero, nunca vi o Nathan a fim de alguém desse jeito. Ele costuma ser desinteressado.

Isso melhorou um pouco as coisas, mas, ainda assim, só duas semanas?

— Você ainda está saindo com o Dank Walker?

Revirei os olhos.

— Eu não estava saindo com o Dank Walker. Tivemos um único encontro. Um. Então ele estava pronto para ir adiante com outra garota.

— Você está bem com isso? — perguntou Jay, observando a minha reação.

— Sim, estou. Como eu disse, foi só um encontro. Nada de mais. Eu não era o tipo dele. Você e eu já sabíamos disso.

Chegamos ao carro esportivo chique que Jay tinha ganhado quando se formou no ensino médio. Eu nem me lembrava da marca, só que ele era apaixonado pelo carro. Ele me acompanhou até a porta e a abriu para mim. Entrei e ele a fechou.

Isso era confortável. Eu sabia pelo que esperar.

CAPÍTULO 18

Dank

Ela não queria falar comigo. Eu não poderia forçar. Precisava ganhar a confiança dela. Droga, eu precisava que ela se lembrasse de mim. Que se lembrasse de nós. De pé do outro lado da rua, observei enquanto Jay a levava até o café e eles se sentavam. Pareciam dois velhos amigos. Fazia mais de um ano, ainda assim, estavam lá rindo e conversando como se nada tivesse acontecido. Ela o perdoou por ser um babaca, mas se recusava a falar comigo. Era disso que eu tinha sido precavido? Foi assim que Pagan começou a sentir alguma coisa pelo Jay?

— Ela não sente nada além de amizade e carinho por ele. Dá para ver daqui — disse Gee, ao aparecer do meu lado.

— Só posso ter esperança. Ela estava tão perto de se lembrar, tendo sentimentos por mim. Agora, nada. Nem posso fazer com que ela fale comigo mais de duas sílabas, e isso se eu tiver sorte.

— Esse é o teste, Dankmar. Você sabia que estava por vir. A alma dela precisa ter a oportunidade de se decidir. Quando ela está com você, não tem a mínima chance, pois o que sente por você a consome mesmo ela não se lembrando da razão. O coração reage a você. A alma dela o conhece.

Meus olhos queimaram. Fui fatiado pela dor. Ela era minha. Eu era dela, mas ela me odiava. Como se esperava que eu funcionasse assim? Nesse momento, eu não tinha uma única chance de ganhar nem o coração nem a alma dela.

— Pare de ficar aí pelos cantos todo magoadinho e essas merdas. Tome uma atitude. Você é Dank Walker. A Morte, porra. Ele é uma alma humana. Você consegue. Dê um jeito.

— Mas e se ela jamais se lembrar?

— Então é melhor você fazer a garota se apaixonar por você de novo.

— Como eu fiz isso da primeira vez?

— Você a deixou se aproximar.

Eu a deixei se aproximar. Ela viu o meu verdadeiro eu. Não senti medo por mostrar a ela quem eu era. Jamais escondi dela o fato de que eu não era humano. Ela podia não saber que eu era a Morte, mas pensou que eu fosse uma alma. Essa Pagan não via mais almas perdidas que vagavam pela Terra. O toque do Senhor Vodu da morte não estava mais nela. Isso foi esquecido. Eu a tratava como a qualquer um. Alguém que podia quebrar. Minha Pagan era forte. Ela não se escondia de nada.

Você é minha, Pagan Moore. Sempre será minha.

Eu observei enquanto ela parava de ouvir Jay e olhava ao redor. Dei um passo à frente e saí das sombras das árvores. Seus olhos me encontraram. Eu podia ver a confusão neles de onde eu estava.

Eu sou seu. Você já soube disso uma vez. Eu vou te fazer lembrar.

O copo de Pagan caiu de suas mãos e o garoto saltou quando o líquido quente escorreu pela lateral da mesa. Era isso o que eu deveria ter feito o tempo todo. Era hora de eu me certificar de que Pagan entendesse que eu não estava aqui por qualquer outra razão senão por ela.

Pagan

Dank estava falando na minha cabeça. Como? Eu estava enlouquecendo. Eu o tinha visto do outro lado da rua. Ele ficou lá e falou na minha cabeça. Eu não podia me concentrar em nada do que Jay estava dizendo na volta para o dormitório. Nós dois estávamos com a roupa manchada de café. Talvez até tivéssemos algumas queimaduras. Tudo o que fui capaz de fazer foi me desculpar. Não consegui nada mais que isso. Porque Dank havia falado na minha cabeça; havia falado por cima dos meus pensamentos. Era a voz dele. Eu o ouvi em alto e bom som.

Parei à porta de Gee e bati duas vezes, mas ela não atendeu. Frustrada, fui até o meu quarto e comecei a abrir a porta, só que mudei de ideia e bati primeiro. Não queria ver o traseiro nu de Nathan. Ninguém respondeu. Destranquei a porta e entrei. A cama de Miranda estava uma bagunça, e decidi que não queria pensar naquilo. Eu me concentraria em Dank Walker falando na minha cabeça. Seria ele um mago? Parecia idiota só de falar. Será que ele estava envolvido com vodu? Porque eu ouvi Gee falar algo sobre vodu mais de uma vez. Não, isso não fazia sentido.

A porta se abriu e Miranda entrou sorrindo de orelha a orelha.

— Estou tão apaixonada — falou, com um suspiro feliz, e fechou a porta. Recostou-se nela e virou o rosto muito contente e satisfeito na minha direção.

— Eu diria que você está com tesão, já que acabou de conhecer o cara. — Decidi ser sincera. Ela só podia estar delirando se achava que estava apaixonada.

— Luxúria, ame-a e tudo se encaixa — respondeu ela, com um aceno de mão.

Eu sabia por experiência própria que nem sempre se encaixava. Eu tinha experimentado luxúria com o Dank, mas nunca o amei.

— Desculpa por antes, mas, Pagan, você não tem noção do quanto ele é bom.

— Por favor, pode parar agora. Não quero saber dos detalhes da sua vida sexual. Eu consegui ouvir. Estou bem ciente de que você estava se divertindo.

Miranda deu uma risadinha e saltou na cama, caindo de cara lá, e começou a cheirar o travesseiro.

— Ele é maravilhoso e tem um cheiro tão bom.

— Bom saber.

— Ah, fiquei sabendo que você foi tomar café com o Jay. Como foi? — perguntou, abraçando o travesseiro junto ao peito.

— Bem, até eu entornar e derrubar café em nós dois. Acho que posso acabar com uma bolha na mão. Queimou bem.

Miranda cobriu a boca.

— Ah, não! O Jay ficou bravo?

Não faço ideia de como Jay reagiu porque tudo em que pude pensar foi em Dank... na minha cabeça, mas eu não podia dizer isso a ela.

— Ele ficou assustado, depois riu. Nada de mais. Tivemos que ir embora para virmos para casa nos trocar.

Miranda caiu na risada e não conseguia parar. Tive que sorrir porque era engraçado. É mais do que provável que eu tinha estragado a camisa do Jay. Talvez eu devesse me oferecer para comprar outra para ele.

— Eles vão dar uma festa na casa da fraternidade hoje. Posso levar quem eu quiser. O Jay vai amar se você for. Mesmo que você tenha queimado o corpo dele.

Não achei que encarar Victoria em uma festa de fraternidade fosse algo em que eu quisesse me lançar ainda. Além do mais, Jay e eu éramos apenas amigos, e ele acabaria com alguma garota, e eu ficaria sozinha repelindo garotos de fraternidade bêbados a noite toda. Não, de jeito nenhum.

— Prefiro ficar aqui. Fazer umas atividades e ir dormir cedo.

Miranda suspirou e balançou a cabeça.

— Você está perdendo a parte divertida da faculdade.

Tentei me divertir na faculdade e não acabou muito bem.

Miranda ficaria com Nathan depois da festa. Era mais do que provável que isso virasse um hábito. Eu não gostava de ficar sozinha à noite, mas concluí que Gee estava bem ali na porta ao lado. Eu me aconcheguei sob as cobertas e fechei os olhos. Assim que comecei a cair no sono, o dedilhar de um violão preencheu o quarto. Tentei abrir os olhos, mas não consegui. Comecei a entrar em pânico. Não estava adormecida ainda. Por que os meus olhos não se abriam?

Sou só eu, Pagan.

A voz de Dank estava na minha cabeça de novo. Eu precisava abrir os olhos. Algo estava muito errado. Então ele começou a cantar a canção assombrosamente familiar que eu havia ouvido no show dele. A canção que me fez ter um ataque de pânico. Dessa vez, não havia medo. Só ternura.

Você não foi feita para o gelo, você não foi feita para a dor. O mundo que vive dentro de mim só trouxe vergonha. Você foi feita para castelos e para viver ao sol. O frio que corre em mim deveria ter feito você fugir.
Apesar disso, você fica. Segurando-se em mim, apesar disso, você fica, estendendo a mão que eu afasto. Apesar disso, você fica, quando eu sei que não é o melhor para você. Apesar disso, você fica. Apesar disso, você fica.
Não consigo sentir o calor que preciso para sentir o gelo. Quero segurar tudo e anestesiá-lo até não conseguir sentir a faca.
Então eu te afasto e grito seu nome e sei que não posso precisar de você, mas você cede mesmo assim.
Apesar disso, você fica. Segurando-se em mim, apesar disso, você fica, estendendo a mão que eu afasto. Apesar disso, você fica, quando eu sei que não é o melhor para você. Apesar disso, você fica. Apesar disso, você fica.
Não consigo sentir o calor que preciso para sentir o gelo. Quero segurar tudo e anestesiá-lo até não conseguir sentir a faca.
Então eu te afasto e grito seu nome e sei que não posso precisar de você, mas você cede mesmo assim.
Apesar disso, você fica. Segurando-se em mim, apesar disso, você fica, estendendo a mão que eu afasto. Apesar disso, você fica, quando eu sei que não é o melhor para você. Apesar disso, você fica. Apesar disso, você fica. Apesar disso, você fica. Apesar disso, você fica.
A escuridão sempre será meu manto e você é a ameaça para desvendar minha dor, então vá embora. Vá embora e apague as memórias. Preciso enfrentar a vida que é destinada a mim.
Não fique e estrague todos os meus planos.
Você não pode ter minha alma, eu não sou um homem. A casca vazia em que vivo não foi feita para sentir o calor que você traz. Eu te afasto e te afasto. Apesar disso, você fica.

Oooooh. Apesar disso, você fica. Apesar disso, você fica. Apesar disso, você fica.

Dank

Concluí que minha forma humana não era de muita ajuda no momento. Entrei no campus seguindo Pagan na minha verdadeira forma — a que só as almas podiam ver. A que Pagan uma vez tinha sido capaz de ver. Ela havia dormido profundamente na noite anterior depois que cantei para ela. Não ser capaz de me aconchegar ao lado dela e abraçá-la foi difícil, mas ela ainda não estava pronta para me aceitar. Eu não faria algo que ela não receberia de bom grado.

Pagan parou do lado de fora do refeitório do campus e olhou ao redor. Estaria procurando por mim? Sabia que não era por Jay.

Procurando por mim?

Ela enrijeceu, então deu um leve aceno de cabeça.

Me encontre na praça do outro lado da rua.

Ela não respondeu de imediato, mas se virou para olhar para a praça. Um breve aceno se seguiu. Observei-a seguir naquela direção e a acompanhei.

— Por que posso sentir você? Onde você está? — perguntou, em um sussurro apressado. Ela podia me sentir atrás dela. Eu gostava disso. Sua alma me reconhecia.

— Estou bem aqui — respondi, ao aparecer do lado dela.

Ela deu um pulo e soltou um gritinho. Então a expressão assustada se transformou em um olhar zangado. Ela apertou o ritmo e, poucos passos depois, estávamos do outro lado da rua, em uma praça vazia.

— O que você é, por que está na minha cabeça, como você cantou para mim ontem à noite e como acabou de aparecer do nada? — Ela soltou as palavras. Eu sabia que ela pensava que dizer aquilo em voz alta pareceria loucura.

— Eu não sou humano. Houve uma vez em que você sabia.

Pagan lançou ambos os braços para o alto.

— O que isso quer dizer? Você não é humano? Eu costumava saber disso? Você precisa me dizer algo que faça sentido, Dank.

Eu não estava conduzindo bem essa situação.

— Eu sei, e se você me der um segundo, vou dizer — eu a tranquilizei, e ela colocou as duas mãos na cintura e inclinou a cabeça para me deixar saber que estava esperando por mais.

Eu não podia lhe dizer que ela tinha perdido a memória. Essa era a única regra que eu tinha. Nunca disseram que eu não poderia dizer que eu era a Morte. Bem, talvez tenham deixado implícito, mas não disseram com todas as letras. Não pensaram que eu seria corajoso o bastante para contar a ela, porque isso poderia criar dificuldades para que eu conquistasse seu amor. A regra era que eu teria que fazer Pagan se apaixonar por mim de novo e que ela me escolhesse em vez de à sua alma gêmea.

— A canção que cantei para você ontem à noite. A que te deixou chateada no show. — Dei um passo em sua direção, e ela ficou tensa. — Você pode me dizer a letra? Você se lembra?

— Apesar disso, você fica?

— Sim, mas a letra era maior. Você se lembra? De qualquer parte?

Eu precisava que ela se lembrasse de alguma coisa. Algo do nosso passado a ser recuperado. Cantei aquela música para ela esperando lembrar à sua alma do que já tínhamos vivido.

— *Você não foi feita para o gelo, você não foi feita para a dor. O mundo que vive dentro de mim só trouxe vergonha. Você foi feita para castelos e para viver ao sol. O frio que corre em mim deveria ter feito você fugir* — ela recitou a letra devagar, tentando entendê-la.

— Isso. Muito bem. Lembra do resto da letra?

Ela fechou os olhos e balançou a cabeça.

— Estou tentando. — Então seus olhos se abriram de repente. — *Não fique e estrague todos os meus planos. Você não pode ter minha alma, eu não sou um homem. A casca vazia em que vivo não foi feita para sentir o calor que você traz. Eu te afasto e te afasto. Apesar disso, você fica.*

— Algo aí faz sentido para você? — Eu ainda me agarrava à esperança de que ela fosse se lembrar de alguma coisa.

— Não. É muito triste e sombria. Nada nela faz sentido.

Suspirando, passei a mão pelo cabelo. Como eu explicaria?

— Você sabe o que é uma alma, Pagan? Tipo, você realmente entende o que uma alma é?

Ela franziu o nariz.

— Sim, é o que está dentro. É quem você é.

Assenti.

— E o corpo é a habitação da alma. Uma vez que o corpo morre, à alma é dada outra vida.

— Então você é uma dessas pessoas que acreditam em reencarnação?

Não, eu não era um adepto. Eu sabia dos fatos. Balancei a cabeça.

— Não. Eu não acredito em nada. Eu sei. Sua alma é quem você é. Nesse corpo e no próximo, ela é você. Sempre será você. Acontece que eu não tenho alma, Pagan. Isso não é um corpo. Não igual ao seu. Isso sou eu. Posso aparecer para humanos e posso caminhar ao lado deles, invisível. Eu escolho quem vai me ver.

— Você é tipo um... fantasma? Porque eu não estou engolindo isso. Toquei em você, sei que você é muito real.

Sorrindo pela primeira vez desde que tínhamos começado a conversa, eu balancei a cabeça.

— Não, eu não sou um fantasma. Sou eu quem aparece para tirar a alma do corpo. É o meu trabalho tirar a alma do corpo que não pode mais abrigá-la. Eu faço a alma seguir caminho para que lhe seja dado outro corpo.

Pagan ficou parada lá, me observando com atenção. Dava para ver a mente dela processando o que eu havia acabado de dizer. Me chamar de algo que ela disse que odiava não era o que eu queria fazer. Não queria que ela me odiasse de imediato por causa do meu título.

— Não entendi. O que faz isso?

— Ah, faça-me o favor, porra. Tive que fazer isso da última vez e vou fazer dessa vez. Soa melhor vindo de mim — anunciou Gee, ao sair de detrás de uma árvore.

Pagan se virou e olhou para ela.

— Gee?

— Sim, Peggy Ann, sou eu. Quem mais estaria ouvindo essa merda?

— Gee, deixa comigo — falei, não a querendo aqui para isso.

— Você não pode, Dankmar. Você deveria ter ficado de boca fechada, mas não conseguiu. Agora que você começou, vai ter que terminar.

Gee virou o foco para Pagan.

— Já fizemos isso de cantar e dançar uma vez, mas, vou dizer uma coisa, foi muito mais divertido antes. O drama foi às alturas, e a existência de Dank estava em perigo. Dessa vez, não precisamos nos preocupar com pessoas morrendo e essas merdas.

— Gee, vá embora — ordenei, mas ela era um dos poucos seres que não me temiam.

— Claro, mas, primeiro, me permita limpar a bagunça. Pagan, o título verdadeiro do Dank no grande e importante esquema das coisas é Morte. Quando chega a sua hora, esse cara aqui aparece.

Pagan deu um passo para longe de mim, depois outro. Ela desviou o olhar apavorado de mim para a Gee. Eu queria que ela discutisse ou que chamasse Gee de mentirosa. Ela não fez nenhuma dessas coisas.

— Diga alguma coisa, Pagan — implorei.

— Fique longe de mim — exigiu ela, então se virou e saiu correndo.

CAPÍTULO 19

Pagan

Eu estava com medo de dormir. Miranda tinha saído. Gee era... Gee era uma velha amiga do Dank. Saltei e corri até a porta do banheiro e tranquei o meu lado. Continuei e tranquei a porta do meu quarto também. Não era como se eu não acreditasse neles. Dank tinha falado na minha cabeça, controlado o meu sono e aparecido do nada. Ele era alguma coisa. Aceitar que ele era a Morte era mais fácil do que pensar que era tipo um fantasma, ou um mago, ou, que Deus nos acudisse, um vampiro. Essas eram criaturas míticas; não eram reais, mas a Morte, a Morte era real.

Era possível que a Morte fosse mais do que apenas a hora que o corpo perecia? A alma tinha que ir. Seria a morte chamada morte só por causa daquele que ceifava as almas? Fazia sentido. Eu acreditava nele. E o temia na mesma proporção. Não era saudável que um humano tivesse um relacionamento com a Morte. Ele era o fim de tudo. Eu não estava preparada para morrer. Eu não queria vê-lo de novo até que chegasse a minha hora, e eu esperava que só fosse quando eu estivesse velha e encarquilhada.

Uma batida à porta do banheiro me assustou, e eu agarrei a arma mais próxima que pude encontrar. Um apontador. Nada ameaçador.

— Abra a porta, Peggy Ann, ou eu vou entrar. É bem fácil para mim, para falar a verdade.

Ela também era a Morte? Havia mais deles? Todos cantavam em bandas de rock ou se vestiam como emo?

— Tudo bem. Eu não vou implorar — avisou Gee, ao aparecer no meu quarto.

— O que é você? — perguntei, recuando na cama, segurando o apontador diante de mim.

— O que você vai fazer? Vai me apontar? Sério? — Gee balançou a cabeça em descrença, avançou e se sentou aos pés da cama de Miranda, então saltou para longe. — Eu me esqueci do quanto o movimento nessa coisa anda agitado ultimamente. Acho que vou ficar de pé.

— Por favor, só vá embora — implorei.

— Primeiro, preciso que você me pergunte sobre todas as loucuras que estão se passando pela sua cabeça. Você não quer falar com o Dank, então fale comigo.

— Você também é uma morte? — indaguei, porque eu tinha que saber se deveria estar rogando pela minha alma e indo atrás daquele rosário da Miranda.

— A Morte é só um ser. Dankmar é a Morte. Tem sido e assim o será por toda a eternidade.

— Por que você o chama de Dankmar?

— É o nome dele. "Dankmar" significa "espirituosidade célebre". Combina. Ele costumava ser chamado apenas de Morte. Uma senhorinha irlandesa deu o nome a ele pouco antes de sua alma partir. Ela disse que ele merecia um nome mais adequado.

O nome dele tinha significado? Por que aquilo me incomodava? Ele era a Morte, pelo amor de Deus.

— Por que ele é o vocalista de uma banda?

Gee caiu na gargalhada.

— Essa é uma pergunta boa pra cacete. Até mesmo a Morte fica entediada. A cada poucas décadas, ele é algo diferente. Tudo começou no século I, quando ele se tornou um gladiador. A lista é longa, mas os que mais me divertiram foi quando ele se tornou um pirata em 1500, um fora-da-lei em 1800 e um gângster em 1920. Descobriu que gostava de música no início dos anos 1980. Então, agora, quando a Morte não está ceifando almas, canta em uma banda de rock. No entanto, não faz muito tempo, ele estava pondo um fim a isso também. Ele tinha algo mais que preenchia seus dias. Isso mudou faz pouco tempo.

— Então a Morte simplesmente caminha pela Terra? Ele não tem outra morada? — Eu estava tendo dificuldade para entender a situação.

— É. Ele simplesmente preenche seu tempo ilimitado com passatempos.

— Então o que você é?

— Eu sou uma transportadora. Pego a alma assim que Dankmar a ceifa do corpo. Eu a levo para cima ou para baixo, seja qual for a direção que ela tome. As que vão para cima vivem outra vida. É bastante simples. São os humanos que complicam mais que o necessário. O Criador não faz almas novas com frequência. Apenas quando muitas más surgem e sua quantidade de bem fica limitada. Por exemplo, você é uma alma nova.

Eu era uma alma nova. Que estranho. As pessoas passavam a vida toda sem saber se tiveram vidas passadas. Sem saber se teriam outra, mas agora eu sabia que essa era a minha primeira chance. Minha primeira experiência. Não havia passado para mim. Era isso; eu só tinha futuro.

— Está na minha hora? É por isso que você e o Dank estão perto de mim? Vocês vão levar a minha alma em breve?

Esse era o meu maior medo. Eu não queria morrer. Claro que se essa fosse a minha primeira vida, eu teria mais do que apenas curtos dezoito anos.

— Não, Peggy Ann. Ainda não chegou a sua hora. Eu estaria pronta para apostar que você é o único ser humano vivo que tem uma vida útil ilimitada.

— O quê?

Gee me dispensou.

— Nada, esquece que eu disse isso. Pode ficar tranquila, não estamos aqui para te ceifar. No entanto, o Dank é fascinado por você. Isso não te coloca em perigo. Se ele tivesse que ceifar a sua alma, ele não seria capaz, se descontrolaria. O Criador, então, te ceifaria. Então você não está em perigo.

Sentei lá e deixei toda a informação ser processada. Não questionei. Fazia sentido. Era uma loucura do caramba, mas fazia sentido. Fiquei completamente em paz, mas havia uma coisa que eu queria deixar bem clara. Ergui o olhar para encontrar o de Gee.

— Não quero ver o Dank de novo. Ter a Morte como um conhecido não é normal. Entendo que não corro perigo, mas quero ficar em paz. Quero sair com caras que não podem falar na minha cabeça e que não ceifam almas. Preferiria alguém que não fosse imortal. Dank é atraente. É difícil afastá-lo. Se ele ficar perto de mim, eu vou acabar cedendo e o deixar se aproximar. Não quero isso. Então, por favor, vá embora.

Gee não respondeu. Ela não veio com uma tirada espirituosa nem com um comentário inteligente. Depois de uns poucos segundos, olhei para cima e ela tinha ido embora. Nada de despedidas. Nada de Gee. E nada de Dank.

Dank

Eu tinha feito uma aposta e perdido.

Gee estava calada ao meu lado. Tinha feito o que eu pedi. Pagan havia escolhido. Mesmo antes de saber que havia uma escolha a fazer. Eu não participaria da competição. Ela não me queria por perto. Não queria me ver de novo. Eu não seria capaz de vagar por esse mundo a menos que estivesse trabalhando. Eu não suportaria saber que ela estava aqui e que eu não poderia falar com ela. Tocá-la. Tirando o colar que ela me deu, eu o segurei com força. Era tudo o que eu tinha da Pagan, da Pagan que me amava, que tinha me aceitado como eu era, e que me quis mesmo assim. Eu não poderia existir com qualquer recordação dela. Eu tinha que deixar as lembranças para trás. Eu tinha que me lembrar de quem eu era e do que eu deveria fazer. Não viver no mundo humano.

— Ela quer que eu a deixe em paz. — Não era uma pergunta. Eu estava absorvendo os fatos. Eu faria qualquer coisa com ela. Eu a queria feliz. Ela não era feliz comigo. Ela não me amava. Algum dia, ela seria capaz de me amar nesse mundo em que a vida dela não estava em risco e ela não estava lutando por ela comigo ao seu lado? Eu estava começando a ver que era impossível. Pagan havia se apaixonado por mim durante uma época em que não tinha medo de almas. Quando tudo fazia sentido para ela. Ela tinha precisado de mim e eu estive lá para protegê-la. Ela tinha me amado só por causa das circunstâncias? Era disso que a Divindade soube todo esse tempo?

— Ela não sabe o que quer, Dank. Está confusa e assustada — disse Gee, com convicção.

Eu gostaria de acreditar que era verdade, mas a realidade era que as coisas não eram mais as mesmas. O laço que formamos não era algo que ela sentia. Pagan estava com medo de mim, me queria longe da vida dela. A garota que não tinha passado a vida toda vendo almas e tendo as experiências que ela teve não queria me amar. Perceber isso me trouxe o pior tipo de dor.

— Não posso ficar aqui. Ela não me quer. Sou apenas a Morte para ela.

O quarto de Pagan estava escuro, e a respiração tranquila me disse que ela dormia. Fui até a mesa e, em silêncio, deixei lá, sobre o caderno, o colar que um dia ela quis que eu tivesse porque o amor dela era infinito como um nó celta. Era dela; eu não podia ficar com ele, mas também não permitiria que ninguém mais o tivesse. Era de Pagan. Era uma lembrança de mim que eu poderia deixar com ela. Avancei e parei ao lado da cama dela uma última vez. Eu me permiti observá-la dormir. Desde a primeira vez que a vi, eu a observei dormir. Era uma paz que eu só vivia com ela. Ela havia me ensinado que eu era capaz de amar. Ela me ensinou a rir. Ela me ensinou o que significava cuidar de algo ou de alguém por completo. Eu seguiria em frente e a deixaria com essa vida, mas o que tivemos sempre estaria lá, me fazendo lembrar do que tinha sido uma vez. Quando chegasse a hora da alma dela deixar o corpo, eu teria que encontrar forças para deixar que a única lembrança que ela teria de mim fosse esquecida para sempre.

— Adeus, Pagan Moore — sussurrei na escuridão.

CAPÍTULO 20

Pagan

Dormir não fez a aceitação ser mais fácil. Parecia um sonho muito ruim. Eu me virei e vi a cama de Miranda vazia. Outra noite com o Nathan. Eu tinha duas amigas aqui. Uma estava com tesão e sempre ausente. A outra não era humana. Eu estava verdadeiramente sozinha. Peguei o celular e passei os contatos até encontrar o número da minha mãe. Precisava ouvir a voz dela. Acho que saudade de casa era isso.

— Pagan? Oi, meu amor, está tudo bem?

— Eu estou bem — tranquilizei-a. Eu não era de ligar para casa. A única vez que nos falamos na semana passada tinha sido quando ela me ligou para perguntar como estava a minha adaptação.

— São sete da manhã. Não sabia que você era capaz de acordar às sete da manhã.

— Rá. Rá. Tenho três aulas por semana às oito, tá bom?

— Ah, bem, isso explica. É um fenômeno novo. Eu precisava te dar uma surra de bacon todas as manhãs para você se levantar antes das sete e meia.

— Sou grandinha agora — respondi, sentindo um nó na garganta. Falar com a minha mãe não estava melhorando as coisas. Eu queria me aconchegar no sofá com ela e assistir às reprises de *CSI*.

— Tem certeza? Porque algo parece estar errado.

— Estou com saudade. — Consegui dizer sem cair no choro.

— Ah, meu amor. Eu também! Está com saudade de casa? Eu poderia ir te ver. Quer que eu vá?

Não. Eu não queria que ela viesse porque eu podia muito bem não a deixar ir embora.

— Não. Estou bem. Só queria ouvir a sua voz hoje de manhã e dizer que estava com saudade das panquecas. Um *latte* de caramelo não é a mesma coisa.

Minha mãe riu ao telefone.

— Bem, quando você vier para o Dia de Ação de Graças, terei panquecas esperando por você.

— Obrigada. Estou ansiosa por elas. Preciso ir agora. Tenho que me arrumar.

— Tudo bem. Não se atrase para a aula. Ligue sempre que quiser. Você é uma garota linda e inteligente e encontrará o seu lugar logo, logo.

— Tudo bem. A gente se fala. Te amo.

— Te amo, docinho. Tchau.

— Tchau.

Larguei o celular na cama e me levantei para tomar banho. Meus olhos pousaram no nó celta de prata que uma vez estivera pendurado no pescoço do Dank. Estava em cima do meu caderno. Fui estendendo a mão para ele, mas parei. Eu não sabia como tinha chegado ali e por que estava ali. Eu tinha dito para Dank me deixar em paz. Eu não gostava de pensar que ele estivera no meu quarto enquanto eu dormia. Corri para o banheiro. Dar o fora do quarto e ir para o mundo real onde as pessoas tinham corpo e não eram imortais era o meu objetivo mais premente.

Quando abri a porta do dormitório para ir para a aula, parei quando Jay se afastou do corrimão em que esteve apoiado. Ele trazia um café. Eu sabia que Jay não bebia café.

— Bom dia — disse, sorrindo, e estendeu o café para mim. — *Latte* de caramelo com chantili.

— Obrigada — respondi, pegando o copo com ele. — O que eu fiz para merecer delivery de café de manhã?

Jay deu de ombros.

— Isso me deu um motivo para te ver. Miranda me disse a que horas você saía hoje de manhã e eu pensei em ver se conseguia ganhar uns pontos extras. O fato de começar o dia com você foi um atrativo muito grande.

Sorrindo, dei um gole no café e suspirei em aprovação.

— Bem, obrigada. Foi muito fofo mesmo.

— Eu tive mais uma segunda intenção — informou, e esfregou as mãos. Era o que ele fazia quando estava nervoso. Eu sabia bem.

— Certo, mas podemos falar disso no meu caminho para a aula, para que eu não me atrase? — perguntei, indo para o lado dele.

— Sim, sim, claro.

Descemos as escadas e fomos para a calçada que levava até o prédio de Inglês.

— Certo. O que você queria que te fez vir aqui me subornar com café a essa hora da manhã?

— Eu estava imaginando se havia uma possibilidade de você me dar mais uma chance e sair comigo. Apenas amigos, mas, bem, não só amigos. Quero passar tempo com você. Talvez sair para comer e jogar boliche. Você costumava arrasar comigo no boliche.

Sob circunstâncias normais, teria sido um não definitivo. No entanto, eu estava solitária. Precisava de amigos. Jay tinha sido meu amigo por muitos anos. Passar tempo com ele não era a pior ideia do mundo. Sair com a Morte tinha sido a pior ideia do mundo. Aquilo era um avanço, sem sombra de dúvida; pelo menos, ele era humano. Ele não era tão sexy e os seus beijos também não faziam os meus dedos se curvarem, mas ele era legal. Não podia comparar os outros garotos com o Dank. Era injusto. Ele não era humano, por isso um humano não seria competição.

— Claro. Acho que vai ser divertido. Quando você quer fazer isso?

Jay parou de andar e olhou para mim como se não acreditasse que eu tinha dito sim. Ele voltou a andar, sorrindo como se eu tivesse acabado de lhe oferecer dinheiro em vez de concordar em sair com ele.

— Hum, amanhã à noite. Não temos aula no dia seguinte.

Claro. Eu precisava de algo para fazer.

— Parece ótimo.

Três semanas depois e eu havia encontrado uma rotina confortável com Jay. Ele me trazia café três dias na semana e me levava para a aula. Saíamos para comer com Miranda e Nathan às terças, jogávamos boliche às quintas e, nas noites de sexta, jantávamos e assistíamos a um filme. Era igualzinho na época da escola. Tudo muito organizado e muito entediante.

A única coisa que aprendi é que ter alguém com você o tempo todo não leva a solidão embora. Você podia estar rodeado por pessoas e se sentir solitário. Algo faltava. Eu praticamente podia apontar o que era, mas bem quando a coisa estava ao meu alcance, eu me esquecia; e ela escapulia.

Essa noite era para eu ir para o grupo de estudos da aula de Literatura do qual Dank não fazia mais parte. Eu estava incomodada por sentir falta dele. Eu não deveria. A animação de entrar na aula sabendo que ele poderia estar lá já não existia mais. Eu tinha a animação de um relacionamento muito bem planejado. Peguei a mochila, saí pela porta e desci a escada. O guinchar alto de metal e as buzinas me detiveram. Então o som de metal contra metal sendo amassado e retorcido tomou o ar. As pessoas começaram a sair do dormitório para ver o que tinha acontecido. Eu me aproximei da rua com a multidão indo até onde dois carros haviam colidido e agora estavam parados. Fumaça saía dos capôs. O carro menor estava de cabeça para baixo. Ouvi as pessoas gritando para ligaram para a emergência; outras choravam.

O vidro quebrado chamou a atenção de todo mundo para o carro capotado. O peso que o SUV colocava nas janelas devia ser muito grande. Ninguém se movia em qualquer um dos carros. Ao meu redor, ouvi as garotas fazendo ligações e contando da batida para outras pessoas. Parecia que ninguém sabia quem eram os envolvidos.

Foi quando o senti. Eu não podia vê-lo, mas ele estava lá. Ninguém mais pareceu notar. O que era isso que eu tinha? Esquadrinhei ambos os carros batidos por qualquer sinal dele, mas ele não estava visível. O fato de eu saber que ele estava por perto não me afligiu. Se eu fosse sincera comigo mesma, admitiria que queria vê-lo. O calor percorreu os meus braços e eu estremeci.

— Onde você está? — sussurrei.

Nenhuma resposta.

O calor só durou um instante, e então se foi. As sirenes começaram a soar e a multidão se afastou. Eu estava entorpecida.

Ele tinha ido embora.

Fiquei triste. Não porque eu sabia que alguém naqueles carros tinha morrido, mas porque ele tinha estado perto, e eu não tinha sido capaz de vê-lo. Por que eu queria vê-lo? Havia algo errado comigo?

Abri caminho em meio à multidão até me livrar das pessoas muito próximas que tentavam dar uma olhada no acidente. Respirei fundo, avancei e me sentei nos degraus. Eu tinha certeza de que o grupo de estudos não se encontraria essa noite. Só esperava que não fosse ninguém que eu conhecia em um daqueles veículos.

Meu celular começou a tocar, eu o peguei e vi o número de Miranda na tela.

— Oi.

— Ai, meu Deus. Graças a Deus você está bem. Acabei de ver a batida no noticiário e foi bem em frente ao dormitório. Eles não estão dando mais informações, então eu não tinha certeza. O Jay já está indo para aí. Liguei para ele, e ele saiu do trabalho e está a caminho.

Eu não estava no humor para Jay hoje. Eu queria me encolher sozinha no meu quarto e pegar o colar que escondi na gaveta. Dank o tinha deixado comigo por uma razão. Eu precisava entendê-la.

— Estou bem. Não sei se o deixarão passar. Acho que as ruas foram bloqueadas, mas vou ligar para ele e dizer que estou bem. Foi feio. Ninguém sabe ainda quem foi.

— Me liga assim que você descobrir, e entre e fique em segurança — disse Miranda, em tom de comando. Sorrindo, concordei e desliguei.

Quando Jay chegou, os carros estavam sendo rebocados e o legista disse que o motorista do carro menor havia morrido e que o corpo tinha sido removido. O passageiro do outro veículo também foi declarado morto. Tudo em que pude pensar foi que Dank tinha que passar por aquilo todo dia. Era algo do qual ele jamais poderia escapar. Aquilo o incomodava? Ele sentia alguma coisa?

— Aqui, trouxe algo para você comer — falou Jay, ao subir os degraus para o dormitório e se sentar ao meu lado.

Eu não tinha sido capaz de me afastar do acidente. Fiquei ali assistindo a tudo. Cada movimento. Cada soluço e pranto dos familiares que chegavam e eram informados de que seu ente querido estava morto. Assisti a tudo. Eles se afastaram naquela noite odiando a Morte. Aquilo havia sido tirado deles. Eu podia entender a dor, mas o meu peito doía por Dank. Ele não causara o acidente. Ele não escolhera que essas pessoas morressem. Tinha sido o corpo delas que não pôde sobreviver. Não era culpa dele que as almas não pudessem mais ficar nos corpos, mas por causa do seu nome e do seu propósito as pessoas o odiavam. O evento na vida de todo mundo não era bem um evento. Era um ser. Se ao menos entendessem que não era culpa da Morte...

— Pensei que você não tivesse comido — disse Jay, quando peguei a sacola com ele. O cheiro do hambúrguer gorduroso e das batatas mais gordurosas ainda veio de lá. Ele estava certo. Eu não tinha comido nada, mas meu estômago não estava forte para comida.

— Acho que não consigo comer nada — falei, me desculpando. Foi legal da parte dele ter pensado em mim, mas, hoje, eu só queria ir para a cama e esquecer. Esquecer o que eu sabia. Esquecer o que vi. Doía demais.

— Você precisa comer alguma coisa. Vamos, vamos entrar. Ver essas coisas não é bom para você.

Balancei a cabeça. Eu tinha que ficar até tudo acabar. Eu ainda não podia ir embora.

— Você não pode entrar a essa hora. Vamos só ficar aqui.

Jay estendeu a mão e pegou a minha. Não houve uma onda instantânea de prazer ou animação. Ele não fazia o meu corpo reagir assim. Ele era apenas um amigo.

CAPÍTULO 21

Dank

— Estou cansada dessa sua fossa. Já está enjoando. Não pode ficar nessa pelo resto da eternidade. Ainda mais porque você nem sequer lutou por ela. Largou a bomba de que você põe fim às vidas humanas e aí espera que ela te aceite de braços abertos. Isso aqui não é a porra de uma novela.

Eu andava para lá e para cá na frente do dormitório da Pagan. Eram três da manhã e eu tinha acabado de terminar as rondas. Vê-la essa noite tinha tornado impossível não voltar assim que terminei tudo.

— Você sabe que eu estou certa. Ela empacou e feriu seus sentimentos, e você fez aquela coisa de ficar todo amuado e ir embora. Os homens são todos iguais.

— Cala a boca, Gee. Não sei o que você espera que eu faça. Ela não quer me ver de novo. Eu estava dando o que ela queria.

Gee fez um som de engasgo.

— Não, você está sendo um bebê chorão. Tadinho do Dank, não pode fazer a Pagan se lembrar dele, então enfia o rabinho entre as pernas e foge. A alma gêmea dela agradece. De verdade. Agora ele não tem nada que o impeça.

— Basta, Gee.

— Foda-se. Você precisa criar culhões. Ela perguntou onde você estava hoje. Você sabe que a ouviu. Inferno, eu ouvi, e não era eu quem estava cheia de mãos para cima da garota. Ela quis te ver.

Parei de andar, e olhei para a janela onde eu sabia que ela dormia. Eu havia me despedido. Dei a ela a vida normal que ela queria. Tinha sido um erro? Se eu a tivesse forçado a lembrar, se eu tivesse me esforçado mais para que ela me amasse, teria dado certo?

— Essa é a maior injustiça dessa porra toda. Ela te ama, só não consegue lembrar. Não porque a mente está doente, nem o cérebro danificado, mas porque a Divindade tirou essa lembrança dela. Mesmo a cabeça não podendo se lembrar, o coração se lembra.

Eu me recostei na parede de tijolos e encarei o céu escuro. Será que o coração dela ganharia? O coração poderia disparar a memória? E se ela se lembrasse um dia e eu não estivesse por perto? O que aconteceria? Eu tinha acabado de perdê-la para sempre e de fazê-la pensar que eu não a queria? Que eu não a amava?

— O que eu faço, Gee?

— Você parte para a batalha, cacete. É isso o que você faz. Lute, porra.

— Eu não quero destruí-la. Não quero magoá-la. Só a quero feliz.

— Ela jamais será feliz se não puder se lembrar.

Pagan

A porta em frente à minha estava escancarada quando pisei no corredor. Uma garota negra de cabelo preto e muito cacheado estava sentada na cama falando com Janet, que dividia aquele quarto com uma garota chamada Tabby. A garota de cabelo cacheado acenou para mim, ficou de pé em um salto e correu até a porta.

— Oi, ainda não nos conhecemos. Eu sou a Babes e, sim, é, tipo, meu nome de verdade, mas, por favor, nem me pergunte. Minha mãe fumava muita maconha. Janet disse que você divide o quarto com a sua amiga Miranda, que nunca está por aqui.

Ficou óbvio que ela sabia muito de mim. A cabeça de Janet apareceu no canto, e o cabelo estava enrolado em uma toalha.

— Bom dia, Pagan. Desculpa pela Babes e a tagarelice matinal dela. Pode dar dor de cabeça.

Babes revirou os olhos castanhos e sorriu para mim. Não havia muitas pessoas menores que eu, mas Babes mal tinha um metro e meio. A maconha da mãe devia ter prejudicado o seu crescimento.

— Você vai à festa da Ômega hoje à noite?

Balançando a cabeça, confessei:

— Não faço ideia do que é isso.

Eu não era muito sociável. Só recentemente tinha começado a conhecer as outras garotas do meu dormitório.

— Aaaah, você tem que ir. Os Ômegas dão as melhores festas. Só deixam entrar garotas bonitas. Você consegue, sem problema.

Não, obrigada. Recusei todos os convites que Jay me fez para ir nessas festas. Eu não conseguia me obrigar a ir a uma. Não parecia com alguma coisa em que eu fosse me interessar.

— Ela vai dizer não. Ela nunca vai a lugar nenhum, a não ser com o gostosão que aparece para levá-la para sair algumas vezes na semana — disse Janet, da cadeira em que estava sentada, penteando o cabelo.

— Ah, qual é? Vai ser divertido. Podemos rir juntas da loucura.

Eu ia me atrasar para a aula.

— Vou pensar — falei, percorrendo o corredor.

— Foi um prazer te conhecer — gritou para as minhas costas.

Ela era do tipo animado.

— A você também — respondi, e fui correndo em direção à porta antes que ela pudesse dizer mais alguma coisa. Eu com certeza precisaria de café se tivesse que lidar com ela de novo.

Esperava que Jay estivesse lá fora me esperando com um café em mãos. Mas, pela primeira vez em semanas, ele não estava. Se me apressasse, eu teria tempo o bastante para parar na cafeteria no meu caminho para a aula.

— Perdendo a hora, Peggy Ann? Tsc, tsc, tsc.

Parei e me virei ao ouvir o som da voz de Gee. Ela estava sentada no capô do seu carrinho preto esportivo.

— Gee?

Ela revirou os olhos.

— Até onde eu sei.

Fui até ela.

— O que você está fazendo aqui?

— Tenho algo que te pertence. Pensei em trazer de volta. Se bem me lembro, você era bem apegada.

Do que ela estava falando? Eu estava do lado do carro quando ela levou a mão ao bolso, tirou algo de lá e a estendeu. Devagar, ela a abriu e, lá na palma da mão dela, estava um brochezinho de ouro. Era uma filigrana em forma de coração com pedrinhas de um claro cor-de-rosa. Eu o tinha visto antes. Meu coração disparou quando estendi a mão e o toquei.

— O que é? — perguntei, erguendo o olhar do broche para a expressão curiosa da Gee.

— Acho que você sabe. Deveria saber. Por que não pega esse broche e o coloca no bolso? Pense nele. Veja se uma lembrança não encontra uma forma de se infiltrar.

Peguei a joia delicada. Parecia antiga, mas muito bem cuidada. Minha cabeça começou a girar enquanto eu o segurava. Ela estava certa. Havia uma lembrança ali.

— Onde você o pegou?

— Ora, que coisa mais engraçada de se perguntar. No seu quarto, ué. Bem onde você o deixou.

Como ela havia encontrado isso no meu quarto? Eu não me lembrava de colocá-lo em qualquer lugar lá. Olhei para ela para perguntar, mas ela já tinha ido embora.

Passei o polegar pelas pedras.

Você pode ficar com ele e me devolver depois que a minha alma deixar o meu corpo? Quero ficar com ele.

Uma dor lancinante tomou a minha cabeça. Estendi a mão e agarrei a lateral do carro para parar a minha queda.

Eu dei esse broche a você. Eu te disse que queria levá-lo comigo. Você disse que poderia dar um jeito e o guardou no bolso.

Outro ataque furioso disparou pela minha cabeça. Eu me afundei na calçada. O que estava acontecendo? Havia memórias presas a esse broche. Coisas que eu tinha esquecido. Larguei a peça no colo e agarrei a cabeça com ambas as mãos, sentindo a dor ficar mais forte.

Mas você nunca mais me viu. Porque sua alma foi apagada do mapa. A única razão para eu ter me lembrado de você foi por causa desse broche.

— AAAAAH! — gritei em agonia. Com cada memória que vinha à

tona, a dor na minha cabeça ficava mais forte.

Então eu vim dar uma olhada em você. Para ver o que havia de tão único nessa alma.

Eu o conhecia. Dank. Ah, Deus. Eu o conhecia. As lágrimas nublaram a minha visão enquanto eu me encolhia no chão duro. Ninguém podia me ver enfiada entre os dois carros. Mordi o lábio para me impedir de emitir qualquer som à medida que as memórias envolviam a minha mente, uma frase por vez. Cada toque. Cada momento. Eu havia me esquecido de tudo. Um soluço escapou, e lutei contra o pranto que crescia no meu peito. Como eu tinha me esquecido dele? Eu o amava. Ele era tudo para mim. Como pude me esquecer dele? Eu o tinha mandado embora. Os soluços ficaram mais altos e eu desisti de tentar ficar quieta. Entre o estilhaçar do meu coração e a explosão na minha cabeça, fui incapaz de fazer muito mais do que murchar no chão e chorar.

CAPÍTULO 22

Dank

O quarto estava escuro quando eu cheguei. Gee havia me chamado. Tudo o que ela teve que dizer foi "é a Pagan", e eu vim imediatamente, mas não esperava que ela estivesse me chamando para o quarto da Pagan. Olhei ao redor e a encontrei adormecida na cama. Ainda não era hora do almoço. As cortinas estavam fechadas e as luzes, apagadas. Ela estava doente?

— Ela se lembrou — revelou Gee, do outro canto do quarto, de onde me observava.

— Do que exatamente ela se lembrou? — perguntei, dando um passo em direção à cama onde Pagan dormia.

— Tudo, eu acho. Inferno, eu não sei. Ela não falou. Ainda não sei o quanto ela está afetada. Se ela estiver ferida mentalmente, espero que você me extermine. Não posso conviver com a culpa.

O pânico me agarrou, corri até a beira da cama e me ajoelhei ao lado dela. O que Gee tinha feito? Ela não deveria se lembrar de tudo até a Divindade decidir que era hora. Eu estava esperando que alguma lembrança desimportante voltasse, mas eu jamais quis fazer mal a ela.

— O... que... você... fez? — Afastei os olhos do corpo ainda pálido de Pagan e fulminei Gee com o olhar.

— Fique bravo. Por favor. Quero que você fique. Se ela está destrambelhada só porque eu tomei uma decisão idiota, não serei capaz de conviver com isso.

A expressão solene dela não ajudou. Ela nunca ficava séria. Estendi a mão e afaguei o cabelo para longe do rosto de Pagan. O rosado natural das suas bochechas tinha sumido.

— Me diz o que você fez, Gee — implorei. Eu não poderia ajudar se não soubesse o que havia se passado. Eu precisava de uma explicação.

— Você não estava lutando. Você a estava deixando. Foda-se essa merda. Eu não ia te deixar desistir assim tão fácil. Ela não está feliz com a pretensa alma gêmea que criaram para ela. A garota está perdida sem você. Eu... eu dei o broche a ela.

O broche. O que eu tinha guardado para ela. O mesmo que eu lhe dera no último Dia dos Namorados. Pagan se lembrou da minha aparição quando ela ainda era criança. Tinha sido da avó. A menina queria que eu o guardasse e o devolvesse em sua próxima vida, mas ela não havia morrido. O broche me fizera lembrar do nome da menina. Então, quando Pagan Moore mais uma vez apareceu nos registros de pessoas a morrer, eu me lembrei dela. Eu fui vê-la. Estava curioso. Então se tornou algo mais. Muito mais.

— O que aconteceu? — perguntei, temendo afastar os olhos. Desejei muito que ela acordasse. Para me certificar de que estava tudo bem. Que sua mente não tivesse sofrido um trauma maior do que o corpo podia suportar.

— Eu a deixei com ele. Então fiquei preocupada, me virei e voltei. Ela estava... ela estava encolhida no asfalto com lágrimas escorrendo pelo rosto e dizendo: "Eu o esqueci. Como eu posso ter feito isso?". Eu a trouxe para cá e ela não se mexeu nem falou nada desde então. Só... dorme.

Eu não podia lidar com Gee agora. Eu não a queria perto de mim.

— Vá. Apenas... vá — falei, sem olhar para ela.

— Me avise se ela acordar. Preciso saber que ela está bem.

— Eu disse para você ir embora, Gee. Você já fez o bastante. Nos. Deixe.

Ela não discutiu. E foi embora.

Estendi a mão para pegar a de Pagan. Estava fria ao toque. Eu vi sua alma. Não estava danificada. O corpo não estava doente. Era tudo psicológico. Trouxe suas mãos aos lábios e as beijei com carinho. Eu não deveria ter confiado em Gee. Eu devia saber que ela faria alguma idiotice quando exigiu que eu lutasse na noite passada. Só não achei que ela fosse fazer algo tão prejudicial. Eu vinha fazendo planos. Outro... um que teria funcionado. Eu tinha tentado fazer a Pagan se apaixonar por mim de novo, mas foi do jeito errado. Eu consertaria isso. E também me certificaria de que ela soubesse que eu nunca tinha transado com outra garota. Queria o assunto esclarecido. Não queria que isso nos prejudicasse.

A mão de Pagan se mexeu na minha, e eu congelei. Esperei para ver se voltaria a acontecer. Ela estava acordando? Ela poderia acordar? A mão mal apertou a minha, e eu observei, desesperado, esperando por mais. Depois de alguns minutos, ela não havia se movido de novo. Ergui o olhar para encarar o seu rosto. As pálpebras pareciam azuis. Ela estava muito pálida.

Eu precisava fazer alguma coisa. Passei semanas sem abraçá-la. Ela não queria que eu fizesse isso. Mas, agora, eu precisava. Eu precisava de Pagan segura em meus braços. Não podia me sentar ali enquanto ela ficava encolhida, fria e pálida. Tudo o que eu podia fazer era esperar e mantê-la aquecida.

Tirei as botas e puxei as cobertas antes de me acomodar ao lado dela. Na mesma hora, Pagan se virou para mim e suas mãos seguraram a minha camisa. Ela soltou vários suspiros entrecortados, e congelou de novo.

Pagan

Eu estava quente. Muito quente e algo cheirava muito bem. Enterrei o rosto no calor. O cheiro ficou mais forte. Eu me pressionei mais nele e passei as mãos para pegá-lo e trazê-lo para mais perto.

— Por favor, me diz que isso significa que você está bem — uma voz profunda sussurrou na escuridão. O calor estava falando. Lutei para abrir os olhos. Estavam tão pesados. — Essa é a minha garota, abra os olhos e olhe para mim — a voz voltou a dizer.

Eu conhecia aquela voz. Entrei em pânico e estendi a mão para agarrá-lo. Ele estava me deixando. Eu tinha esquecido. Eu disse para ele ir embora. Eu não sabia, eu não sabia. Lutei para abrir os olhos e, frenética, busquei uma forma de segurá-lo ali. Quando abrisse os olhos, ele teria ido?

— Shhh, está tudo bem. Eu estou com você. Calma, meu amor — ele me tranquilizou, e os braços me rodearam, me puxando para perto.

Meus olhos enfim se abriram e eu encarei o peito em que estava pressionada. Respirei fundo. Era Dank. O meu Dank. Esse era o meu Dank. Ele estava aqui. Ah, graças a Deus, ele estava aqui. Eu me afastei até poder olhar para ele.

— Você está aqui. — Minha voz pareceu arranhar.

— Sim, estou — respondi. Os olhos azuis brilhavam na escuridão. Eu conhecia aquele brilho. Também sabia que eles brilhavam ainda mais quando ele ceifava uma alma.

— Não vá — implorei, apertando ainda mais a camisa dele.

— Não vou — ele me assegurou, então me olhou nos olhos. — Você se lembra?

Sim. Eu me lembro de tudo. Os dois últimos meses repassaram na minha cabeça.

Aquelas duas semanas com o Dank. Ele tinha sido ele mesmo e eu não me lembrei de nada. Ele tinha se esforçado muito para chamar minha atenção. Espera... a garota... na biblioteca.

— Explique a garota do lado de fora da biblioteca — falei, precisando ouvir uma explicação porque eu sabia que havia uma. Meu Dank jamais faria aquilo.

— Tem um... cara de quem você não se lembra, mas ele acha que eu te roubei dele. Então ele armou tudo para que você me odiasse. Ele queria que eu te perdesse. Ele sabia que você não era você mesma e se aproveitou da situação.

— Leif?

Os olhos de Dank se arregalaram de surpresa.

— É, Leif, mas, Pagan... você não deveria conseguir se lembrar dele. Ele não tem alma.

Porque ele era um espírito vodu.

— Eu sei disso, mas me lembro dele.

Dank afastou o cabelo do meu rosto e sorriu.

— Você nunca se encaixou no molde. Isso não deveria me surpreender. Senti tanta saudade.

O alívio e o amor nos olhos dele acabaram comigo. Eu o tinha tratado tão mal.

— Sinto muito. Eu te amo, Dank. Eu te amo tanto. Não sei o que aconteceu. Não posso acreditar que me esqueci de você.

Dank baixou a boca e me deu um beijo na testa.

— Não se desculpe. Está tudo bem. Você não teve nada a ver com isso. Foi a Divindade. Eles tiraram as suas lembranças.

Por quê? O que eu fiz de errado?

— Eu os irritei?

Dank balançou a cabeça e me abraçou mais apertado. Percebi que minhas mãos ainda agarravam sua camisa, então eu a soltei e alisei.

— Quando uma alma é criada, também o é a sua parceira. Jay é a sua alma gêmea. Você não foi criada para ser a minha. Você tinha que se reconectar com o Jay e deixar a sua alma decidir se você podia viver sem ele. Tiraram as suas lembranças para que a decisão fosse justa. Não sei como você se lembrou sem a ajuda deles, mas não podemos deixar que eles saibam. Você terá que continuar do jeito que estávamos. Querem que você escolha e agora a escolha não é mais justa. Não quero que eles retirem sua memória de novo.

Então eles podiam fazer aquilo de novo? Não. Não. Eu não queria.

— Então, eu faço o quê? Saio com Jay? Não quero namorar com Jay.

Dank abriu um sorrisinho e então baixou a boca para a minha.

— Eu também não, mas não posso voltar a te perder. Preciso que você se lembre de mim.

Sua boca cobriu a minha e decidi, naquele momento, que não era a coisa mais importante. Isso é que era. Deslizei as mãos pelos seus cabelos e o puxei para mais perto. O primeiro gostinho da sua língua foi o paraíso. Fiquei de costas e o puxei pelo cabelo, colocando-o sobre mim. Queria ser coberta por ele. Precisava dele perto. Eu o mantive à distância porque minha mente idiota havia me traído. Dank mudou de posição e moveu o corpo até estar perfeitamente encaixado sobre o meu. Os braços descansaram de cada lado da minha cabeça ao segurar parte do seu peso. Eu não queria aquilo. Queria ele todo. Abrir as pernas fez com que seus quadris caíssem contra mim.

Ele se impediu de me pressionar por inteiro. Eu me afastei do beijo.

— Por favor, Dank. Não fique longe de mim.

Ele engoliu em seco, então, devagar, abaixou os quadris até sua excitação estar pressionada em mim. Choramingando um pouco por causa da nova sensação, eu me remexi nele. Seus lábios cobriram os meus no mesmo instante e a língua afagou o interior da minha boca com uma necessidade frenética. Eu me remexi de novo e soltei um gemido de prazer enquanto o formigar entre as minhas pernas lançava fagulhas pelo meu corpo.

Dank soltou um gemido enquanto nossas línguas se emaranhavam e, dessa vez, foram seus quadris que se moveram. A pressão ficou mais intensa. Joguei a cabeça para trás e emiti um som que nunca fiz antes. Os lábios de Dank começaram a trilhar beijos pelo meu pescoço exposto e pararam na minha clavícula. Então a pele áspera da ponta dos seus dedos tocou a pele sensível bem abaixo da bainha da minha blusa. Comecei a arfar, esperando que ele não parasse. A mão se arrastou mais ainda, até encontrar o fecho entre os meus seios e, com facilidade, abrir o meu sutiã. Ele afastou a barreira indesejada antes de passar os dedos por cada mamilo.

— Você quer que eu pare? — perguntou, em um sussurro rouco. Balancei a cabeça. — Quero que você tire a blusa. — Ele observou a minha reação.

— Tudo bem — respondi, erguendo-me para tirá-la.

— Não, eu quero tirá-la. — Ele me deteve.

Fiz que sim e ele ergueu a blusa e a tirou. As mãos puxaram as alças do meu sutiã até que eu não tive mais nada me cobrindo.

— Você é linda — ele sussurrou. O elogio fez meu coração dançar.

— Acho que me lembro de te dizer que gostaria de te ver sem camisa — lembrei a ele.

Um sorriso apareceu naqueles lábios deliciosos e ele levou a mão à barra da camisa e a levantou.

Minha nossa.

Estendi a mão e passei os dedos por cada músculo definido. Olha, era lindo.

— Vem cá — falei, voltando a deitar no travesseiro.

As pálpebras de Dank estavam baixas, e ele me olhou com fome. Eu queria seu peito nu pressionado no meu. Passei as mãos pela sua nuca e o trouxe para baixo até poder provar os seus lábios. Seu peito roçou no meu, e eu mordi seu lábio inferior. Isso fez um gemido de aprovação irromper de Dank quando o toque íntimo do meu corpo no dele nos aproximou ainda mais.

Esse era o meu Dank. Eu não me sentia mais perdida nem sozinha. Aquele sentimento havia me engolfado nas últimas semanas, mas agora eu entendia. Meu coração sabia que Dank que estivera longe.

CAPÍTULO 23

Dank

Pagan não quis que voltássemos a vestir as blusas quando enfim interrompi as coisas. Quando ela passou a mão entre as minhas pernas, tive certeza de que ia explodir. Ela havia acabado de recuperar a memória. Ainda não estava pronta para isso. Tínhamos ido mais longe sexualmente essa noite do que já tínhamos ido antes. Eu queria facilitar o processo para ela, não apressar as coisas. O que nos salvou de irmos longe demais foi o fato de ela estar exausta. Assim que paramos, ela se aconchegou em mim e caiu no sono.

No entanto, sua respiração lenta e ritmada fez o peito dela subir e descer contra o meu e criou uma fricção que eu não podia ignorar. Cada vez que os mamilos retesados roçavam em mim, eu perdia um pouco do controle.

— Bem, parece que ela vai conseguir. Memória intacta e tudo o mais. — A voz de Gee me surpreendeu. Eu não tinha esperado que ela fosse voltar hoje. Puxei o cobertor sobre nós. — É, obrigada. Não é bem algo que eu fosse querer ver. Então, você acha que poderia, não sei, deixar uma garota saber uma coisa? Fiquei preocupada desde que saí daqui.

— Shhhh... não a acorde. Ela está cansada.

— Aposto que sim. A garota acorda para fazer sexo quente e suado com a Morte. Ela precisa descansar.

— Isso não aconteceu. Cale-se — eu a avisei baixinho, para não perturbar a Pagan.

Gee revirou os olhos.

— É, tá bom.

— Ela recuperou a memória, e está bem. Agora, vá.

Gee lançou uma piscadela e foi embora.

— Você deveria ser mais legal com ela — Pagan sussurrou no meu peito.

Droga, Gee. Ela a havia acordado.

— Sinto muito. Volte a dormir.

Pagan inclinou a cabeça e sorriu com timidez.

— Bem, eu deveria, mas acho que talvez precisemos nos vestir. Acordar assim me faz querer fazer... coisas.

Saber que ela queria fazer coisas me deixou duro, latejando. Eu teria que me levantar e tomar um banho frio.

— É, acho que é uma boa ideia.

Pagan me empurrou e se posicionou para ficar em cima de mim. Ela me montou e colocou ambas as mãos nos meus ombros.

— Ou poderíamos fazer coisas.

Ela se sentou em cima de mim, o cabelo caindo sobre os ombros desnudos, parecendo uma deusa. Algo que homem nenhum recusaria.

— Que coisas você quer fazer? — perguntei, ao estender a mão e roçar seu mamilo com o polegar.

— Quero que tiremos a calça — ela sussurrou, e olhou para a minha barriga.

Ah, droga. Já era.

— Pagan, se tirarmos, as coisas podem ir longe demais...

Ela ergueu o olhar para mim e inclinou a cabeça para o lado, dando um sorriso sapeca.

— Eu sei. Quero ir mais longe. Com você. Agora mesmo.

Todas as razões pelas quais isso era uma péssima ideia passaram pela minha cabeça enquanto ela rastejava para longe de mim e começava a tirar o short. A calcinha azul-clara de renda que ficou atraiu toda a minha atenção. Ela escorregou os dedos por dentro e parou antes de tirá-la. Por que tinha parado? Afastei o olhar da lingerie rendada e olhei para ela.

Nervosa, Pagan mordeu os lábios.

— Nunca fiquei nua na frente de ninguém — confessou.

— Que bom — respondi, e me sentei, peguei Pagan pela cintura e a puxei para mim. — Você não precisa ficar nua na minha frente agora se não estiver pronta, mas, se quiser, então eu serei um cara muito feliz.

Pagan riu baixinho.

— Na verdade, você será uma Morte muito, muito feliz.

Mordisquei o lóbulo da sua orelha, então sussurrei:

— Isso mesmo, e nesse instante a Morte está tendo pensamentos muito, muito sacanas com você. Então, por favor, tire essa calcinha sexy e volte para essa cama.

Pagan estremeceu nos meus braços.

— Esse, sem sombra de dúvida, foi um jeito bom de perguntar.

Ela recuou e, devagar, puxou a peça pelas coxas até estar completamente nua. Meu controle foi pelos ares. Eu me levantei, agarrei-a e a deitei de costas na cama antes de tratar de tirar a calça jeans e cobrir o seu corpo com o meu.

— Tem certeza disso? — perguntei, ao afagar o cabelo para longe do rosto dela e olhá-la nos olhos. Eu ficaria feliz só em abraçá-la desse jeito. Nunca quis pedir por mais do que ela estava disposta a dar.

Pagan moveu os quadris até a minha ereção estar abrigada entre a calidez das suas dobras.

— Eu quero, muito — ela gemeu, e eu deslizei nela com facilidade.

Erguendo os quadris, permiti que a sensação do meu comprimento roçasse a sua excitação. O calor úmido me fez tremer. Eu queria entrar nela.

— Por favor, Dank, por favor. — Ela começou a fechar as pernas ao redor dos meus quadris.

Eu não seria capaz de me segurar. Precisava entrar nela tanto quanto ela queria. Colocando ambas as mãos ao lado da sua cabeça, eu me ergui e recuei até estar posicionado na sua entrada. Ela soltava gemidinhos suaves que me fizeram pulsar ainda mais em expectativa. Ao penetrar, me deixei levar pelo êxtase de estar envolvido por ela. A calidez apertada era diferente de tudo o que eu já tinha sentido. O ato poderia se tornar uma droga para mim, se eu assim permitisse. O corpo de Pagan tinha sido feito para ser adorado, e eu o adoraria pelo resto da eternidade com um sorriso no rosto.

Pagan

Dank e eu fizemos amor pela primeira vez e pela segunda e pela terceira antes de Miranda bater à porta. Dank me beijou e desapareceu antes que eu me levantasse e a abrisse para ela. Ela havia perdido a chave há duas semanas e ainda não tínhamos conseguido encontrá-la.

— O que você andou fazendo? Liguei e mandei mensagem. Jesus, garota, é difícil entrar em contato com você.

Miranda entrou dizendo que Nathan era um babaca. Não pude me concentrar no que ela falava porque foi bem quando percebi quem Nathan era. Agarrei a maçaneta para evitar cair.

— Você está me ouvindo? — perguntou Miranda. — Você está passando mal, Pagan? Porque você parece prestes a desmaiar.

Vá se sentar na cama. Está tudo bem. Sei do que você está se lembrando.

Dank ainda estava ali. Fiz que sim, fui até a cama e me sentei.

— Estou bem, só um pouco zonza. Você me acordou.

Miranda fez careta e se largou ao meu lado.

— Tem certeza?

— Absoluta.

— Bem, então eu deveria perdoá-lo?

Perdoar quem? Nathan? Fiquei confusa.

— Você poderia explicar de novo? A tontura não me deixou entender bem o que você estava contando.

E, sim, você deveria perdoar o Nathan, porque ele é o Wyatt. Eu não poderia dizer isso, é claro, mas agora eu queria abraçar Nathan e dizer a ele o quanto senti a sua falta. Ele pensaria que eu tinha enlouquecido. Não era de se admirar que eu gostasse tanto dele.

— Essa tal de Siera. Ela liga para ele pedindo que ele vá trocar a lâmpada dela às seis da manhã, e ele vai, Pagan. Ele levanta e vai consertar a luz dela. Ela não é idiota, consegue arrumar sozinha. Por que ele faria algo assim? Não entendo. A transa de ontem à noite tinha sido incrível e eu acordei com um bilhete dele dizendo que voltaria logo, porque Siera ligou e estava sem luz, e precisava de ajuda para trocar o negócio.

Que coisa mais estranha. Nathan precisava de um tapa.

— Você tem todo o direito de ficar chateada, mas talvez tenha entendido errado.

Miranda deu de ombros e deitou a cabeça no meu ombro.

— Acho que não dá para entender mal algo assim. Os caras são uns babacas, mas você sabe disso. Você gostava do Dank, e ele foi lá e transou com aquela garota. Aí o Jay te deixa entediada. Dá para ver na sua cara. Eu também acho que ele deve estar comendo a Victoria de novo, se você quer saber.

Ótimo. Eu esperava que ele transasse com ela sem parar.

Dei um tapinha na cabeça de Miranda.

— Está tudo bem. Com o tempo, tudo vai fazer sentido. Quanto ao Jay, se ele quer ficar com a Victoria, que fique. Vou falar com ele. O cara deve estar tão entediado comigo quanto eu com ele.

— Viu? Você nem liga. Queria não ligar também, mas eu me importo, Pagan, eu me importo demais.

É claro que se importava. Se ele ainda fosse Wyatt, eu iria lá e daria uns safanões nele e ficaria sabendo da história. Era estranho pensar que a mesma alma, o mesmo ser, agora era outra pessoa. Alguém a quem eu não conhecia muito bem. Eu não poderia me safar fácil por dar uns tapas no Nathan.

— Vou tomar banho, depois você vai fazer compras comigo? Preciso fazer terapia comprando sapatos.

Dank estava aqui. Eu me lembrei. Eu não queria ir comprar sapato. Queria ir me sentar no colo dele e ficar lá pelo resto do dia. Bem, e beijá-lo e fazer outras coisas.

— Hum, eu acho que sim, mas preciso ir a um lugar mais tarde. Vai levar o dia todo?

Miranda ergueu uma sobrancelha para mim.

— O que exatamente você quer fazer mais tarde?

Eu poderia mentir, mas talvez fosse pega. Decidi contar a verdade.

— Estou vendo o Dank Walker de novo. A coisa toda com a garota não aconteceu. Foi outro cara. Eu não ouvi as coisas direito.

Era verdade.

As duas sobrancelhas de Miranda se ergueram.

— Você está saindo com o Dank de novo? Ele voltou? Não o vejo há semanas. Pensei que ele tinha largado tudo e viajado com a banda.

Olhei ao redor do quarto, me perguntando onde ele estaria exatamente.

— É, ele voltou. Não de viagem. Voltou... — Fui parando de falar.

Miranda me olhou estranho.

— Certo. Bem. Vou me arrumar e você pode acordar, assim poderá falar coisa com coisa e aí vamos comprar sapatos.

Assim que Miranda fechou a porta do banheiro, caí na cama. Droga. Eu não queria comprar sapatos.

O corpo de Dank cobriu o meu, e os lábios roçaram a minha orelha.

— Vou trabalhar. Divirta-se. Mas, hoje à noite, você é minha. Vamos sair e nos divertir. Quero te levar para dançar e te abraçar do jeito que eu queria naquela noite na boate. Só me promete que você vai usar aquelas botas. — A voz de Dank soou baixa no meu ouvido. Estremeci e deslizei uma das pernas por seus quadris.

— Tudo bem. Parece legal.

Dank beijou um lugar no meu pescoço ao passar a mão pela minha perna que o envolvia pela cintura.

— Miranda vai sair já, já. Preciso ir. Não comece algo que não poderemos terminar.

Eu ri e abaixei a perna.

— Tudo bem.

— Eu te amo, Pagan — disse ele, nos meus lábios, antes de ir.

Capítulo 24

Pagan

Esperei pela chegada de Jay do lado de fora da cafeteria em uma mesa com ombrelone. Concluí que, se eu colocasse tudo para fora e desse a ele uma rota de escape, tudo se resolveria. A Divindade tinha bagunçado tudo com essa coisa de alma gêmea. Se Jay não me queria e se eu não queria Jay, então não havia problema.

Dank estava em algum lugar do outro lado da rua, me observando. Ele concordou que só isso talvez fosse dar conta. Ainda mais se Jay estivesse de rolo com outra garota, mas Dank queria estar por perto e, sinceramente, eu sentia como se o tivesse acabado de recuperar depois de uma longa separação. Eu não queria que ele ficasse longe.

— Oi, Pagan. Você já pediu. Eu teria pegado o seu café — disse Jay, ao puxar uma das cadeiras diante de mim.

— Eu estava precisando de cafeína — respondi.

— Senti sua falta na fraternidade ontem. Não é divertido quando você não vai comigo.

Deixei a xícara na mesa e olhei dentro dos olhos dele.

— Jay. Eu sei que você se diverte muito quando não estou por perto. Também sei que você se diverte na cama ou onde for, e escolheu ficar com a Victoria. Está tudo bem. Não estou brava. Só quero que sejamos sinceros e que consigamos pôr um ponto final nas coisas.

Jay ficou lá com um olhar embasbacado. O cara achava mesmo que eu não descobriria?

— Eu não quero pôr um ponto final. Quero você. É, eu posso ter andado por aí com a Victoria, mas isso é porque você nunca vai a nada que a ATO faz. Sou o único cara lá que não está com alguém. A Victoria fica em cima de mim. Depois de algumas bebidas, é difícil recusar.

Tenho certeza de que, em algum lugar no meio daquilo tudo, ele tinha razão.

— Nossos objetivos e necessidades são bem diferentes. Você precisa de coisas que não posso te dar ou que não quero te dar. E tudo bem você precisar delas. Melhor conseguir essas coisas com a Victoria, tudo bem por mim, mas não quero fingir que temos um relacionamento sendo que você está transando com outra pessoa. Nós não estamos namorando. Se alguém me chamar para sair e eu quiser ir, eu vou.

Jay fez careta.

— Quem te chamou para sair?

— Isso não vem ao caso. Estamos falando que você tem que decidir o que sente pela Victoria porque acho difícil acreditar que você pode simplesmente transar com ela várias vezes e não sentir nada pela garota.

Jay colocou os cotovelos na mesa e enterrou a cabeça nas mãos.

— Não sei o que há de errado comigo. Eu quero você, Pagan. De verdade, mas ela se joga em cima de mim e parece que não consigo dispensá-la.

Tadinho, totalmente sem noção.

Estendi a mão e dei um tapinha na dele.

— Está tudo bem. Você quer ficar com ela, ela quer ficar com você. Está tudo bem. Apenas desfrute da liberdade de estarem juntos. Não há razão para esconder de mim.

Jay ergueu a cabeça e olhou para mim.

— Você nunca foi normal. A maioria das garotas estaria jogando café na minha cara e gritando comigo. Você simplesmente dá um tapinha na minha mão e me diz que tudo na minha vida sexual está bem. Para eu aproveitar.

Eu ri e me levantei.

— Era você quem queria ver o que era isso entre nós. Não eu. Nunca estive nessa por algo que se parecesse com amor. Se fosse o caso, então, sim, eu estaria arrasada, mas só gosto de você como amigo, Jay. Quero que você seja feliz.

Jay se reclinou na cadeira.

— Isso quer dizer que eu não tenho outra chance, né?

Ele estava brincando, né? Balancei a cabeça.

— Não, eu diria que todas elas acabaram. Esse trem já partiu.

— Ainda podemos ser amigos?

Olhei para o outro lado da rua e vi o Dank apoiado em uma árvore. Os braços estavam cruzados e ele nos observava com atenção. Sabia que ele tinha ouvido cada palavra.

— Podemos ser amigos de longe. Não sairemos juntos, mas acenaremos quando nos cruzarmos por aí.

— Jamais vou me perdoar por perder você — disse Jay.

— Acho que você vai superar. Há algo aí para você. Alguém que não vai te deixar entediado e que ame as mesmas coisas que você.

Ele balançou a cabeça.

— Com certeza não é a Victoria.

Eu meio que discordava dele, mas não disse nada.

— Tchau, Jay — falei, pela última vez, então me virei e atravessei a rua.

Dank me esperava do outro lado. O sorriso dele deixava tudo perfeito. Saber que ele estava lá e que sempre estaria fazia tudo ficar bem.

Coloquei o pé na rua, olhando para ele. A buzina estridente e o olhar de horror de Dank foi o único aviso que tive.

— Não, Pagan. Não se atreva a sair daí. Fique onde está. Não abandone o seu corpo.

Encarei Dank, que parecia frenético. Seus olhos estavam marejados com as lágrimas não derramadas.

— Por que você está tão chateado?

— NÃO! Eu te disse para não sair do seu corpo. Pagan, volte para lá — implorou Dank.

— Ela o deixou porque ela precisava, Dankmar. Recomponha-se e pense bem. Você é a Morte, acalme-se, porra. — A voz de Gee me surpreendeu. Havia algo de angelical nela que eu nunca tinha ouvido antes. Era quase engraçado ouvi-la xingar.

— Algum de vocês poderia me dizer por que estão tão chateados?

As sirenes começaram a tocar e eu me virei e vi uma ambulância vindo na nossa direção. As sirenes da polícia se juntaram ao coro e, de repente, estávamos rodeados por um mar de pessoas. Dois paramédicos correram para mim e se abaixaram aos meus pés. Que estranho.

Olhei para baixo e me vi deitada lá... ai, meu Deus.

— Dank? — perguntei, em pânico, enquanto observava o homem fazer massagem cardíaca em mim e respiração boca a boca.

Dois braços quentes me rodearam.

— Está tudo bem, Pagan. Vamos descobrir o que está acontecendo. Eu vou descobrir. Não era para isso acontecer. Você não estava nos livros. Eu teria sabido.

Eu não estava nos livros?

— Dank, eu estou morta?

Ele não respondeu imediatamente.

— Gee, distraia os paramédicos e a polícia. Distraia todo mundo. Vou levar o corpo.

— Você vai o quê? — indagou Gee, incrédula.

— Eu disse para distraí-los, cacete. Vou pegar o corpo. Tem algo errado. Não era para isso acontecer.

Gee assentiu e atravessou a multidão gritando:

— Alguém me ajude, por favor, alguém me ajude. — Os policiais começaram a ir atrás dela e os dois paramédicos olharam para trás para ver do que a comoção se tratava. Ela estava se afastando dos policiais e gritando para os paramédicos que ela precisava de um boca a boca. Que estava tendo uma reação alérgica.

Eu me virei para Dank e o vi pegar o meu corpo sem vida. Ele me agarrou pela mão e não estávamos mais lá fora. Estávamos percorrendo um túnel escuro e frio que espiralava sem parar. Eu estava tão ocupada tentando entender o que estava acontecendo que nem cogitei perguntar a Dank onde estávamos.

Quando dei por mim, estávamos saindo do túnel e entrando no meu quarto?

Dank deitou o meu corpo na cama com cuidado, como se ele fosse importante. Eu não estava mais lá.

— Certo. Você tem que voltar para ele — ele falou, olhando para mim.

— Hum, eu não sei como — respondi. Qual era o problema?

Dank veio até mim e me pegou pelas mãos. Ele estava mais frio ao toque agora.

— Pagan, me ouça. Se a sua alma for separada do corpo, outra vida será dada a você. Você não voltará a ter essa idade por mais dezoito anos. Eu teria que te esperar amadurecer para sequer poder te abordar. E aí tem a probabilidade de você me mandar passear. Já passamos por isso. Por favor, meu amor, por favor. Não me deixe.

— Ela não pode voltar para o corpo, Dankmar. — Uma voz profunda preencheu o quarto, fazendo as paredes tremerem.

Dank me colocou atrás de si e se virou para a voz.

— Foi um erro. Ela não estava nos livros. Se você a tomou antes da hora, então uma regra foi quebrada.

O corpo de Dank estava retesado como um arco. Ele estava pronto para lutar com quem estava ali. O fato de a voz fazer o quarto tremer não foi nada tranquilizador.

— Nós lhe dissemos que ela teria que escolher — disse a voz.

— Ela escolheu! — gritou Dank.

Ergui a mão e espiei o canto. Um homem grande, com pelo menos dois metros e meio, pois sua cabeça roçava o teto, olhou para mim com seus olhos prateados. Completamente prateados, não havia pupila.

— Eu escolhi! — gritei com a voz aguda. Ele era maior do que eu pensava.

— Já estamos a par da escolha dela, Dankmar. Também estamos a par *das outras coisas.*

Senti meu rosto e pescoço se aquecerem. Então eles sabiam... não havia privacidade? Decidi que me esconder atrás de Dank não era uma ideia tão ruim. Eu saí do campo de visão do gigante.

— Eu não a forcei a escolher. Ela nunca o quis — disse Dank, com um tom defensivo.

Ele precisava parar de provocar aquele homem. Dank era grande, mas não daquele jeito.

— Somos bem capazes de determinar isso sozinhos. Agora, se me permitir concluir um raciocínio, Morte, eu agradeceria.

Dank se empertigou mais, estendeu a mão para trás e pegou a minha. Eu a apertei com força, reassegurando a ele de que eu estava ali. Ninguém havia sumido comigo. Ainda.

— Você considerou o fato de que ela é uma mortal? O corpo dela ficará velho e morrerá. Você estava planejando se recusar a ceifar a alma dela quando o corpo estivesse tão velho que não pudesse mais funcionar?

— Você prometeu que, se ela me escolhesse, eu poderia ficar com ela por toda a eternidade.

— Sim, dissemos isso, e você vai, mas há apenas uma forma. — Houve uma pausa, então ele complementou: — Venha aqui, Pagan.

Dank segurou a minha mão com firmeza e me puxou para que eu ficasse do lado dele, e não soltou.

— O que você quer com ela? O que você vai fazer?

O homem me encarou e ergueu a mão direita no ar. Uma névoa espessa preencheu o quarto, e o som de água corrente rugiu nos meus ouvidos. Apertei a mão de Dank com mais força. Comecei a sentir um formigamento morno nos dedos que devagar foi se espalhando pela minha alma. Não era desagradável, mas diferente. Algo estava acontecendo. Um estalar alto me fez dar um salto, e os braços de Dank me rodearam.

— Está feito. Você lutou com bravura por ela, Dankmar. Acreditamos que escolheu bem. Agora, guarde essas palavras. Ela viverá por tanto tempo quanto você vagar pela Terra. Sua eternidade será dela. Ela irá aonde você for. O existir dela não é mais corpo ou alma. Ela é como você é, uma forma de divindade. Ela aparecerá em qualquer forma. É a sua parceira. A alma dela não existe mais; foi transformada. Ela será governada pelas regras estabelecidas. Ela pode viver essa vida perto das almas que ela ama, e jamais saberão que ela mudou. Não podem. A aparência dela para os humanos a quem mantém por perto mudará conforme a deles. Assim que ela estiver pronta para se afastar da vida que agora leva, poderá abrir mão das regras e agir como você faz, sem se preocupar.

Não entendi a maior parte do que tinha acabado de ser dito. Olhei para Dank e o vi assentir.

— Obrigado.

Uma brisa leve, e então ele se foi. Olhei para a cama, e meu corpo havia ido também.

Dank

— Eu me fui ou pelo menos o meu corpo se foi — disse Pagan, em um sussurro apressado.

Sim, o corpo humano dela se foi. Ela não precisava mais dele.

— Você entendeu o que ele acabou de falar?

Pagan começou a assentir, então fez que não e depois deu de ombros.

— Acho que um pouco.

Eu ri e me inclinei para beijá-la na testa.

— Você aparecerá, assim como eu. Miranda está prestes a atravessar aquela porta em pânico, procurando por você. Ela a verá. Nada em você parecerá diferente para ela. Apenas eu posso dizer que você não é mais humana.

— Então eu sou igual a você agora?

A porta se abriu, Miranda entrou correndo e parou de supetão quando viu Pagan.

— Pagan! Você está viva. E está aqui. Graças a Deus. Jay disse que você foi atropelada e que os paramédicos chegaram e que teve uma confusão e aí você sumiu. Está todo mundo te procurando. Precisamos avisar que você está viva. — Miranda se engasgou com um soluço e abraçou Pagan. — Eu não podia perder você também. Eu perdi o Wyatt, eu não posso perder você.

Meus olhos encontraram os de Pagan por cima do ombro de Miranda e um sorriso ergueu os cantos da sua boca. Conseguimos. Pagan não teve que desistir da vida e eu não tive que desistir de Pagan.

— Você jamais me perderá. Eu lhe prometo isso — respondeu Pagan, e deu uma piscadinha para mim antes de se afastar e apertar os ombros de Miranda. — Está tudo bem. Não me lembro de ter voltado para cá, mas voltei. Dank me encontrou. Acho que eu posso ter tido uma concussão, mas estou bem agora. Sério.

Miranda assentiu e a beijou na bochecha.

— Eu te amo, Pagan.

Pagan riu.

— Eu também te amo.

CAPÍTULO 25

Pagan

O segurança da boate me levou até a sala em que Dank esperava por mim. A coisa toda do apareça-nos-lugares-que-quiser era uma lição que ele ainda tinha que me ensinar. Eu sempre entrava em pânico no último minuto e terminava em lugares aleatórios, tipo em banheiro de postos de gasolina ou no corredor de laticínios do mercado. Eu estava provendo Dank uma diversão infinita com essas tentativas.

O segurança parou na frente de uma porta marcada como privada e bateu uma vez, então abriu-a e deu um passo ao lado para que eu entrasse. A sala era parecida com a maioria das que eram reservadas a ele nos lugares em que a Alma Fria tocava. Havia um bar com uns drinques, garrafas de água, sofás enormes e cadeiras. As paredes dessa eram revestidas de espelhos.

Dank estava reclinado no sofá, mas ficou de pé e veio até mim quando o homem fechou a porta.

— Por que você demorou tanto? — perguntou, com um sorriso em seu rosto perfeito.

— Miranda e Nathan estavam dando uns amassos no nosso quarto e eu não chegaria nem perto enquanto o barulho não parasse.

— Ah, não posso falar nada. Precisamos mesmo te ensinar a trocar de roupa de acordo com a sua vontade. A única hora que tiro as minhas é quando estou com você. O resto do tempo eu simplesmente decido o que vestir e minha aparência muda.

Pensei nisso e decidi que deixaria essa lição para mais tarde. Minhas habilidades não eram boas, e pensar que eu poderia acabar nua em público porque fiz algo errado me deixou aterrorizada.

— Não aprenderemos isso por enquanto.

Dank riu como se lesse a minha mente e soubesse exatamente qual era o meu medo.

— Só avise quando estiver pronta, e trabalharemos nisso.

Assenti e ele pegou a minha mão, me puxando para o sofá.

— Fiz uma música nova. Depois que nós, é... — Ele olhou para mim e um sorriso tímido brincou em seus lábios.

— Fizemos sexo? — completei.

Dank balançou a cabeça.

— Não, Pagan, aquilo foi fazer amor. Não confunda as coisas.

O prazer que senti com essas palavras me percorreu. Gostava do fato de esse corpo novo ainda ter sensações.

— Eu a escrevi na manhã seguinte a quando fizemos amor. Ainda não a compartilhei com a banda, porque é pessoal.

Eu me sentei e ele estendeu a mão, pegando o violão que estava na cadeira ao meu lado. Ele apoiou o pé na beirada do sofá e deslizou a correia do violão em volta do pescoço. Bem quando eu pensava que Dank Walker não poderia ficar mais sexy, ele ia lá e me provava o contrário.

— Do que você está rindo? — ele perguntou, olhando para mim.

— Ah, só estou pensando que tenho o namorado mais sexy da face da Terra. A única coisa que deixaria isso melhor é se você estivesse sem camisa.

Dank sorriu e passou a correia do violão pela cabeça, pegou a blusa pela bainha, tirou-a e a jogou no meu colo.

— Melhor? — incitou, ao voltar a passar a correia pelo pescoço.

— Minha nossa, sim.

Dank balançou a cabeça e riu.

— Você dificulta as coisas, Pagan Moore. Eu estava aqui querendo ser romântico e agora só estou pensando em sacanagem.

Eu me reclinei e cruzei as pernas, levei a camisa descartada ao nariz e a cheirei. Talvez eu não a devolvesse.

— Droga — sussurrou Dank, ao me observar. — Acho que não lembro a letra da música agora.

Fiz beicinho.

— Mas eu quero ouvir.

Dank fechou os olhos e ajustou o violão no joelho dobrado.

— Seu desejo é uma ordem — respondeu, com um sorriso e os olhos fechados.

Ele lambeu os lábios. De repente, ouvir a música não parecia mais importante. Eu queria lamber os lábios dele também. Então Dank começou a tocar. Desviei o olhar dos seus lábios enquanto ele abria a boca. Nós nos encaramos e ele me prendeu por completo enquanto suas palavras se juntavam à música.

A luz do dia desaparece enquanto te observo à distância.
A escuridão reivindica o céu, e eu queria que você pudesse saber.
Era para estarmos distantes, mas algo me aproxima.
Era para estarmos muito distantes, mas a gravidade nos une.
Mais perto que a sua pele, a revolta profunda me compele, você tem todo o controle de mim, e eu não posso atingir o ápice do meu eu. Estou sob seu domínio.
Pergunto como chegamos aqui, pergunto como chegamos aqui ao lugar que devemos ir.
Oh-oh-oh-oh, yeah.
O lugar que devemos ir.
Oh-oh-oh-oh.
Oh-oh-oh-oh, yeah.
Almas não foram feitas para algo assim. Nossos mundos jamais deveriam ter se encontrado.
É melhor você partir enquanto tem algo para deixar para trás.
Era para estarmos distantes, mas algo me aproxima.
Era para estarmos muito distantes, mas a gravidade nos une.
Mais perto que a sua pele, a revolta profunda me compele, você tem todo o controle de mim, e eu não posso atingir o ápice do meu eu. Estou sob seu domínio.

Pergunto como chegamos aqui.
Pergunto como chegamos aqui ao lugar que devemos ir.
Era para estarmos distantes, mas algo me aproxima.

No momento em que suas mãos pararam de se mover, eu me levantei e peguei o violão. Eu precisava abraçá-lo. Agora. Dank compreendeu e tirou o instrumento sem desviar os olhos de mim. Eu me lancei em seus braços, segurei o seu rosto e dei uma lambidinha nos seus lábios antes de deslizar a língua em sua boca.

A mão dele agarrou meu traseiro e ele me pegou, e passei as pernas por sua cintura. Eu o amava. Ele era meu.

— Eles estão nessa de novo. Droga, o Dank está se dando melhor que eu esses dias — a voz de Loose nos interrompeu. Baterista idiota.

— Vaza — respondeu Dank, sem nem olhar para o intruso.

— Não posso, cara. A gente vai entrar em cinco minutos — explicou Les.

Ótimo, tínhamos toda a banda na plateia. Olhei feio para eles por cima do ombro de Dank, o que só os fez cair na gargalhada.

— Desculpa interrompermos a diversão, Docinho, mas precisamos do vocalista. — Loose deu uma piscadinha. Ele jamais teria feito isso se Dank não estivesse de costas.

Rubber deu um pescotapa nele e murmurou:

— Babaca.

Dank me deixou deslizar pelo seu corpo, mas manteve as mãos no meu traseiro.

— Acho que vou ter que desistir desse hobby. Você é o único público que eu quero. E esses idiotas continuam zoando com o meu tempo livre.

Olhei para os três caras que compunham a maior parte da banda. Eles tinham um tecladista, o Jet, que mal conseguia aparecer antes de a banda ir para o palco. Ele estava sempre muito doidão.

— Eles precisam de você, e eu sempre estarei esperando nos bastidores quando você terminar. Não desista por minha causa.

Dank colocou uma mecha de cabelo atrás da minha orelha.

— Desde que você esteja esperando por mim, acho que posso continuar nisso mais um tempo.

— Três minutos — avisou Loose, lembrando-nos de que eles ainda estavam lá.

Pressionei meus lábios nos de Dank, dei um beijo rápido e o empurrei para a porta.

— Vamos lá, tá na hora.

Dank

— Quando você vai começar a deixar a Pagan vir junto? — perguntou Gee, ao entrarmos no hospital.

— Não vou. Pagan pode ser imortal, mas jamais pedirei a ela para lidar com isso. — A morte não era fácil. Era trágica para os humanos. Ao contrário de mim, Pagan tinha sido humana. Ela entendia essas emoções; ainda as experimentava. As emoções tinham sido parte dela. Por mais que eu odiasse ficar longe de Pagan, não queria trazê-la para esse mundo.

— Ela é valente, Dankmar. A garota foi capaz de recuperar as memórias só usando o coração. As lembranças tinham sido varridas; ainda assim, ela as trouxe de volta e sobreviveu a isso. Dê algum crédito a ela.

Eu sabia que a Pagan era valente. Ela me amava. Amar a Morte não era para qualquer um. Eu não era o portador de boas notícias.

— Deixe isso para lá, por favor. Quero ceifar essas almas e retornar antes que a Pagan e a Miranda voltem da noite de garotas.

— Bem, eu quero voltar antes que o Loose acabe traçando alguma puta aleatória no banheiro público. Todos queremos alguma coisa.

Ela ainda estava saindo com o Loose. Não sei nem como expressar a desgraceira que era. Não queria nem pensar aonde o relacionamento levaria. Gee era só uma transportadora. Não era uma divindade. Não tinha o mesmo poder que eu para se safar ao quebrar as regras.

— Ainda é um rolo, Gee? — perguntei, enquanto estávamos do lado de fora do quarto de hospital onde mágoa e pranto nos esperavam.

— Eu gosto dos dreads dele, tá? E toda a experiência que ele juntou transando por aí o deixou bastante habilidoso na área. É só por diversão.

Ela não me convenceu. Isso não era bom. Lidaria com o assunto mais tarde. Talvez Loose terminasse as coisas e eu não tivesse que lidar com nada.

— Não é como se nos víssemos mais do que umas duas vezes por semana. Eu sei que, no resto da semana, ele está fazendo a mesma coisa em outro lugar. Estou de boa. Ele é humano, eu não.

Nada no tom dela indicou que estivesse tudo bem com aquela declaração. Ela viraria a namorada ciumenta em breve. Que Deus ajudasse o rapaz a sobreviver. Ele nunca tinha irritado um ser imortal antes. O resultado não seria nada bom.

Quando entrei no quarto, não vi a alma que eu tinha vindo coletar. No entanto, o rosto familiar no canto abraçando uma mulher aos prantos chamou a minha atenção. Jay estava lá, sério, abraçando com força uma loura. Reconheci a alma dela. Era a mesma de quem ele se vira incapaz de ficar longe enquanto estava saindo com a Pagan. Um brilho translúcido os envolvia, conectando a alma deles.

— Bem, olha só o que temos aqui — disse Gee, ao chegar do meu lado, sua atenção capturada pelo laço visível entre as almas.

— Não vi essa conexão entre eles antes — falei, examinando-os enquanto Jay sussurrava palavras tranquilizadoras no ouvido dela.

A alma que viemos ceifar se afastou do corpo que estava na cama. Ele era jovem. E era encrenca. Havia uma escuridão ao redor dele. Uma escuridão que o marcava como perigoso. Essa alma não teria outra chance. Havia estragado tudo nessa existência.

— Ô-ô. Arranjamos um ovo podre — resmungou Gee, quando eu avancei para enrolar no pulso dele o grilhão de ferro destinado às almas raivosas. Dava controle ao transportador até ele entregar a alma para descansar em seu destino final. Lidar com almas danificadas podia ser complicado. Houve uma época em que eu mesmo tinha que ir, mas, ao longo do tempo, arranjamos um jeito melhor de lidar com a situação. Eu não gostava de desperdiçar meu tempo na viagem.

— Vamos lá, encrenqueiro. Vamos logo com isso — Gee disse a ele.

Essa tinha sido a alma gêmea de Victoria. Agora que estava danificada, a conexão havia sido transferida. A alma de Jay enfim estava completa.

CAPÍTULO 26

Pagan

Minha mãe crivou Dank com um milhão de perguntas. Não passou pela minha cabeça, até Dank abordar o assunto, que, assim como a minha, a memória da minha mãe também tinha sido apagada. Dank foi apagado das lembranças de todo mundo da minha vida. Miranda havia se esquecido de Dank e Leif assim como eu. Embora as minhas lembranças tivessem sido restauradas, a delas, não. Dessa forma, as coisas não ficariam completamente bagunçadas. Eles sabiam mais do que deveriam. Minha mãe já sabia mais do que deveria. Agora Dank era o cara novo que eu tinha conhecido na faculdade. Ele também era vocalista de uma banda de rock. Minha mãe não ficou feliz quando o apresentei, mas Dank e seu carisma logo a conquistaram.

Trouxe um copo de chá gelado para ele antes de me sentar ao seu lado no sofá. Era assim que deveria ser. Minha mãe o amaria em breve.

— Então, você canta rock? Usa drogas? — perguntou minha mãe, analisando seu rosto em busca de qualquer indício de mentira.

Cobri a boca para abafar a risada.

— Não. Não uso drogas e também não bebo. Nunca bebi. Não é algo em que eu esteja interessado.

Minha mãe assentiu e desviou o olhar para mim. Ela não ficou nada feliz por eu estar achando graça.

— E vocês estão saindo há quanto tempo? Porque eu pensei que você estivesse com o Jay de novo.

Dank ficou tenso ao meu lado, e eu bati na perna dele.

— Jay está apaixonado por uma garota chamada Victoria. Ele achou que queria reavivar as coisas comigo, mas não deu certo. Ele e eu não nos encaixamos, a gente ficava entediado um com o outro. Foi durante um período bem curto em que Dank e eu tivemos uma briga e eu me recusava a falar com ele.

Minha mãe estreitou os olhos para mim.

— Você sabe que tem que usar camisinha, né?

Dessa vez, foi Dank quem cobriu a boca com o punho para evitar a risada.

— MÃE! Não me faça essas perguntas. Prometo que SE estivermos fazendo qualquer coisa que requeira isso, então, *sim*, eu usaria camisinha.

Minha mãe deu de ombros.

— Uma mãe nunca é cuidadosa demais. Preciso me certificar de que você esteja com a cabeça no lugar.

— Já entendi, mãe — assegurei a ela.

— Bem, isso é bom. Agora, me conta desse rapaz com quem a Miranda está saindo. Ouvi dizer que ele é um amor.

Estendi a mão, peguei a de Dank, e entrelacei os dedos com os dele. Ele encarou o interrogatório da minha mãe com louvor.

— Bem, acho que é muito possível que a Miranda tenha encontrado o cara certo — contei a ela, sabendo muito bem que tinha. Talvez não esse ano nem no próximo, mas um dia eles acabariam casados. Nessa vida e em cada uma depois dessa. Eu sorria só de saber que eu ia assistir aos dois se encontrarem e se apaixonarem a cada uma delas.

Mais tarde naquele dia, eu estava aconchegada na cama. Não percebi o quanto sentia falta do meu quarto até me cobrir com a manta, e o cheiro de casa me engolfar. Eu não precisava mais dormir, mas gostava de me deitar à noite. Dank disse que era algo que eu tinha me treinado a fazer e não deveria abrir mão de nada que me fizesse feliz.

— Isso nunca enjoa — disse a voz de Dank na escuridão.

Eu me virei e o vi na cadeira em que ele costumava se sentar para cantar para mim à noite.

— O que você está fazendo aqui? — perguntei, ao me sentar. Era para ele estar ceifando almas.

— Estou quase indo. Não pude resistir de vir aqui e te ver aconchegada nessa cama mais uma vez. Percebi que eu era seu certa noite, aqui neste quarto. Eu estava cantando para você e corri para o seu lado. Você agarrou o meu braço em seu sono e me puxou para o seu rosto e voltou a dormir. Eu não quis me mexer. — Ele se levantou e veio até mim. — Soube naquela hora que jamais entenderia o que os humanos chamavam de amor, mas se era algo próximo ao poder que você tinha sobre mim, então não era de se admirar que eles o procurassem com tanto afinco.

Estendi a mão e o puxei para a cama comigo.

— Você vai se atrasar — eu disse a ele, ao afastar as cobertas e segurar a barra da sua camisa.

— Por quê? — perguntou Dank, erguendo os braços com muito boa vontade para que eu pudesse ajudá-lo a tirar a roupa.

— Porque, depois de ouvir isso, não posso te deixar ir até que eu tenha ficado satisfeita. Tire a roupa, Dankmar.

FIM

AGRADECIMENTOS

Tenho que começar agradecendo ao Keith, meu marido, que aguentou a casa suja, a falta de roupas limpas e as minhas mudanças de humor enquanto eu escrevia este livro (e todos os outros).

Meus três filhos lindos que comeram muita salsicha empanada, pizza e cereal porque eu estava trancada escrevendo. Juro que faço para eles muitas coisas saudáveis logo que eu termino.

Minhas amigas FP. Prefiro não revelar o que FP significa, porque minha mãe pode ler isso aqui e o termo lhe causará uma parada cardíaca. Brincadeirinha... só que não. Vocês, garotas, me fazem rir, ouvem os meus desabafos e sempre me mandam uns colírios que deixam o meu dia mais animado. Vocês são mesmo a minha turma.

Stephanie Mooney, a melhor capista do mundo. Ela é brilhante e eu grito o fato aos sete ventos com frequência.

Stephanie T. Lott, a melhor editora que uma escritora poderia ter. Eu não teria terminado este livro até uma semana antes da publicação. Stephanie não podia assumir o trabalho, mas me colocou em contato com a Judy Lott, que podia. Judy perdeu muito sono trabalhando comigo. Obrigada, garotas!

SOBRE A AUTORA

Abbi Glines pode ser encontrada na companhia de estrelas do rock, dando festas em seu iate aos fins de semana, saltando de paraquedas ou surfando em Maui. Tudo bem, talvez ela precise manter a imaginação sob controle e se concentrar na escrita. No mundo real, Abbi pode ser encontrada carregando crianças (várias que simplesmente aparecerem e que nem são dela) para todas as atividades delas, escondida sob as cobertas com o MacBook na esperança de que o marido não a flagre, de novo, assistindo a *Buffy* na Netflix, e escapando para a livraria para passar horas perdida na delícia maravilhosa que são os livros. Se quiser encontrá-la, dê uma olhada no Twitter primeiro, porque ela é viciada em tuitar no @abbiglines. Ela também escreve bastante no blog, mas quase nunca fala algo muito profundo. E gosta de falar de si mesma na terceira pessoa.

www.abbiglines.com

Entre em nosso site e viaje no nosso mundo literário.
Lá você vai encontrar todos os nossos
títulos, autores, lançamentos e novidades.
Acesse www.editoracharme.com.br

Você pode adquirir os nossos livros na loja virtual:
loja.editoracharme.com.br

Além do site, você pode nos encontrar em nossas redes sociais.

https://www.facebook.com/editoracharme

https://twitter.com/editoracharme

http://instagram.com/editoracharme